## DATE DUE

| MAY | | | |
|---|---|---|---|
| APR 3 0 1982 | | | |
| MAY 21 1983 AM | | | |
| MAY 2 1 1983 10 AM | | | |
| MAY 14 1986 | | | |
| MAY | | | |
| JUL 1 3 1990 | | | |
| MAR 2 9 1993 | | | |
| NOV 2 5 1996 | | | |
| JUN - 4 1997 | | | |
| | | | |
| | | | |
| | | | |
| | | | |

DEMCO 38-297

# EDUARDO BARRIOS: VIDA Y OBRA

COLECCION MENTE Y PALABRA

BENJAMIN MARTINEZ LOPEZ

# EDUARDO BARRIOS: VIDA Y OBRA

EDITORIAL UNIVERSITARIA
UNIVERSIDAD DE PUERTO RICO
RÍO PIEDRAS
1977

Primera Edición, 1977

Derechos reservados conforme a la ley:
© UNIVERSIDAD DE PUERTO RICO, 1977

Disertación presentada a la Facultad de Estudios Hispánicos, como uno de los requisitos para obtener el grado de Maestro en Artes, en la Universidad de Puerto Rico, Mayo de 1960.

L.C. 77-10946
ISBN 0-8477-0050-1 E
ISBN 0-8477-0051-X R
Depósito Legal: B. 33.512 - 1977

Printed in Spain                    Impreso en España

Imprime: Manuel Pareja - Montaña, 16 - Barcelona

INDICE

|  | Páginas |
|---|---|
| INTRODUCCION | 7 |
| I. LA NOVELA EN HISPANOAMERICA | 9 |
|    1. Conquista y Colonización | 10 |
|    2. Independencia y Romanticismo | 12 |
|    3. Realismo | 14 |
|    4. Naturalismo | 15 |
|    5. Modernismo | 15 |
|    6. Postmodernismo y novela criollista | 16 |
|    7. Subjetivismo y Superrealismo | 18 |
| II. EDUARDO BARRIOS: VIDA Y OBRA | 23 |
|    1. Infancia | 23 |
|    2. Vida Militar | 25 |
|    3. Viajes por América | 26 |
|    4. Vida Sentimental | 26 |
|    5. Obra literaria | 28 |
|    6. El Funcionario Público | 31 |
|    7. Ideas Generales sobre la obra de Barrios | 32 |
| III. OBRAS DE VIDA INTERIOR | 37 |
|    1. El niño que enloqueció de amor | 39 |
|    2. El hermano asno | 42 |
|    3. Páginas de un pobre diablo | 49 |
|    4. Canción | 50 |
|    5. Pobre feo | 51 |
|    6. La antipatía | 52 |
|    7. Como hermanas y Papá y mamá | 52 |
| IV. LO REALISTA Y LO CRIOLLISTA | 55 |
|    1. Un perdido | 56 |
|    2. Tamarugal | 61 |
|    3. Gran señor y rajadiablos | 66 |

| | | Páginas |
|---|---|---|
| V. | EL SUPRARREALISMO Y "LOS HOMBRES DEL HOMBRE" | 75 |
| | 1. El Suprarrealismo | 75 |
| | 2. Los hombres del hombre | 80 |
| VI. | OBRA DRAMATICA DE EDUARDO BARRIOS | 95 |
| | 1. Los mercaderes en el templo | 96 |
| | 2. Por el decoro | 97 |
| | 3. Lo que niega la vida | 97 |
| | 4. Vivir | 101 |
| VII. | LA TECNICA NOVELISTICA | 105 |
| | 1. El arte de novelar | 107 |
| |    a. Ambiente y atmósfera | 109 |
| |    b. Los personajes | 115 |
| |    c. Recursos de narración | 119 |
| VIII. | EL ESTILO | 125 |
| | 1. Sintaxis | 126 |
| | 2. Vocabulario | 132 |
| | 3. El adjetivo | 133 |
| | 4. El verbo y el adverbio | 137 |
| | 5. Imágenes, Metáforas y Símiles | 139 |
| | 6. Evaluación del estilo de Eduardo Barrios por la Crítica | 152 |
| CONCLUSIONES | | 155 |
| BIBLIOGRAFIA | | 159 |

# INTRODUCCION

El propósito de nuestro trabajo al dedicarnos a hacer esta investigación fue estudiar la obra completa de Eduardo Barrios con miras a tener una visión de conjunto de este novelista, al cual habíamos conocido en cursos universitarios de literatura hispanoamericana y por la lectura de algunas de sus novelas. Atraídos, además, por el interés de sus temas y la belleza poética de su estilo, quisimos conocer más a fondo el manejo técnico y la elaboración artística de la obra total del autor; y así, a la medida de nuestras fuerzas, hemos intentado estudiar la obra de Barrios a la luz de la crítica literaria contemporánea.

Realizamos, al efecto la investigación pertinente que nos habría de dar la apreciación crítica de sus obras, esparcida en las revistas más importantes de Hispanoamérica tales como: Atenea, Repertorio Americano, Revista Iberoamericana, Cuadernos Americanos y otras. Consultamos antologías y manuales de literatura hispanoamericana y chilena con el propósito de conocer el lugar que en tales estudios se le ha asignado a Eduardo Barrios dentro de las Letras de Hispanoamérica. Y finalmente, consultamos aquellos libros de información general, sobre todo lo concerniente a técnica y crítica contemporánea, para equiparnos de una visión cabal y precisa de lo que constituye la obra literaria y de los enfoques y planteamientos que deben seguirse en el análisis de la ficción como obra de arte.

Eduardo Barrios tiene teatro, cuento y novela y, para facilitar nuestro estudio y tener además la visión de conjunto que nos habíamos propuesto, fundimos el estudio de los cuentos y las novelas cuya elaboración y técnica es más o menos parecida. La obra dramática la presentamos en capítulo aparte.

Al enfrentarnos a la dificultad del carácter mixto de las novelas de Eduardo Barrios y queriendo precisar los diferentes planteamientos que hace el escritor en sus novelas y cuentos los hemos clasificado en tres grupos: *obras de vida interior, lo realista y lo criollista,* y el *suprarrealismo.*

El análisis técnico de las obras lo hemos hecho en forma general y panorámica sin poder detenernos en los detalles como hubiésemos querido y como corresponde a un verdadero estudio científico de investigación literaria, pero también en este aspecto la extensión de la obra y la variedad de recursos estilísticos empleados por el novelista no nos lo permitían en este tipo de estudio panorámico de la obra de Barrios.

Todo estudio de la obra literaria de un autor intenta descubrir la justa medida de su talla como escritor. Con este trabajo unimos los juicios, comentarios y apreciaciones que hemos ido formulando a través de todo nuestro estudio a las críticas ya hechas de la obra del autor y esperamos contribuir modestamente al señalamiento de los logros y de los fallos de Eduardo Barrios como novelista.

Queremos testimoniar nuestro más profundo agradecimiento al doctor Angel Luis Morales, nuestro consejero principal, quien con suma paciencia se ocupó de la corrección de los capítulos de esta investigación a la vez que nos orientó con comentarios aclaradores. Igualmente a la doctora Margot Arce de Vázquez quien con su actitud comprensiva y amable nos alentara a lo largo de nuestro trabajo y al doctor Federico de Onís quien nos ayudara en el enriquecimiento de nuestra bibliografía y a formular el bosquejo de esta investigación. Por último agradecemos la ayuda de la profesora chilena la señora Regina Aubry quien en forma desprendida nos facilitó material bibliográfico.

## I. LA NOVELA EN HISPANOAMERICA

La novela es a la vez que una expresión artística de la cultura un intento de descubrir la esencia del hombre y del mundo, no en la forma sistemática de las disciplinas científicas —historia y filosofía— sino en la manifestación vital del arte. A diferencia de ellas que, generalmente consisten en exponer el mundo de las realidades concretas del universo, la novela, en cambio, se apoya en la realidad, pero forma su propio mundo y se rige por leyes y principios proyectados desde ella misma. Sin embargo a través de ese mundo particular de la novela se puede llegar a verdades que corresponden a las descubiertas mediante las formas sistemáticas de la historia y la filosofía.

La historia de la novela de cualquier país es el desarrollo progresivo de esa forma de arte como captadora de los perfiles que conforman la realidad espiritual y etnológica de ese pueblo. Seguir el hilo de plasmación de la novela es registrar el nacimiento y desarrollo de ese hombre particular; verlo crecer y luchar frente a las fuerzas naturales y culturales que le dan vida.

El hombre hispanoamericano nace de la lucha entre dos fuerzas que se mezclan para darle aliento: la vieja cultura europea viene a injertarse a la milenaria cultura indígena. La cultura española trasplantada a un ambiente geográfico nuevo sufre modificaciones al ser asimilada por el indio en forma forzada. La cultura indígena logra sobrevivir a duras penas en las tradiciones y costumbres de éstos. En este reacomodo de ambas culturas juega un papel importante la visión que del europeo tenía el indio —sorpresa y deslumbramiento frente a esos seres poderosos y de dones casi sobrenaturales— y el concepto que el español tenía del indio, a quien veía como un ser natural y misterioso. Este proceso progresa rápidamente con el mestizaje de razas y va cobrando fuerzas desde adentro hacia fuera.

La tarea de buscarle "el rostro" al hombre hispanoamericano —el criollo— la vemos realizarse lentamente en la empresa literaria por los europeos en primer lugar, que quieren expresar esa naturaleza desconocida y a ese nuevo injerto hispánico y finalmente el mismo criollo que quiere plasmar su propio ser en formas particulares más auténticas.

## 1. Conquista y colonización

Ya desde la época de la Conquista vemos en los primeros intentos literarios el deseo de dar contornos a la nueva realidad americana. Estos primeros escritores, sin embargo, sólo pueden interpretar esta realidad a la luz de los cánones de su cultura europea. La maravilla que les deslumbraba solo saben expresarla a través de las fantasías literarias puestas de moda por el Renacimiento. De este modo el paisaje cobra matices arcádicos e idílicos y las hazañas humanas dimensiones épicas. Cristóbal Colón dirá en una de sus cartas:

> "La hermosura de la tierra de estas islas, así de montes e sierras y aguas, como de vegas donde hay ríos cabdales, es tal la vista que ninguna otra tierra que sol escaliente puede ser mejor al parecer ni tan fermosa." [1]

Y sobre los indios:

> "Son todos de muy linda estatura, altos de cuerpo e de muy lindos gestos, los cabellos muy largos e llanos." [2]

Todos dan una caótica impresión de riqueza, poder y muchedumbres,[3] Hernán Cortés se declara imposibilitado de poner en palabras toda esa realidad superior al molde de cuadros mentales que trae de España y confiesa:

> "No hay lengua humana que sepa explicar la grandeza y particularidades de ella." [4]

Aunque durante los tres primeros siglos de colonización no apareció ninguna novela que podamos llamar propiamente hispanoamericana, ya algunos autores revelan un nuevo enfoque de la realidad. Garcilaso de la Vega, el Inca, representa la sensibilidad americana en el mundo hispánico. Con él, "primer criollo" de nuestras letras se inicia la búsqueda de la nueva fórmula que libere a América de la interpretación europea. En él buscan acomodo y armonía dos visiones de la realidad americana: la visión indígena y la visión europea. *Los Comentarios Reales*, además de la fascinación del rela-

---

1. Cristóbal Colón, *Los Cuatro Viajes del Almirante y su Testamento*, p. 163.
2. *Ibid.*, p. 182.
3. Henríquez Ureña, *Las corrientes literarias en la América Hispana*, p. 25.
4. Enrique Anderson Imbert, *La historia de la literatura hispanoamericana*, p. 13.

to, revelan una marcada simpatía hacia lo propio. Junto al elemento politeísta del indio aparece el sentimiento religioso europeo.[5]

El mestizaje es el primer paso hacia la diferenciación frente a Europa. Nuevas perspectivas exigen un nuevo enfoque de la realidad; y empieza a tomar forma el reclamo de salvar a América de las falacias utópicas y las extrañas deformaciones.

Han sido muchas las causas señaladas para justificar el hecho de que en América no hubiera novela durante tanto tiempo. Se ha señalado que la vida en América era en sí una aventura novelesca y por lo tanto era preferible vivirla en su realidad que trasladarla a la ficción.

Se ha dicho también que las colonias carecían de modelos para estructurar su propia novelística. Se apoya esta idea en la prohibición que se hizo en 1531 contra la entrada de todo libro de ficción en América.[6] Sin embargo, bien sabido es que hubo abundancia de libros; que éstos llegaban a América recién salidos en España, y que los hubo de toda índole. "Olvídase con frecuencia, que, escritores de toda categoría vinieron en gran número a la América Hispánica durante el siglo XVI y principios del XVII."[7] Otro aspecto que se ha considerado, es que "si la población era escasa, los lectores eran todavía más escasos, debido al exageradamente bajo nivel cultural de sus habitantes".[8] Sobre todas estas razones, indicaremos la que nos parece más convincente: no se escribe novela hispanoamericana porque todavía no existe Hispanoamérica. La novela es producto de madurez y todavía no había sazonado una conciencia hispanoamericana. El temperamento y la sicología criollista viene formándose, pero carece de la fórmula expresiva capaz de darle calidad artística a su mundo interior. El destino de nuestros países hispanoamericanos ha tardado en cumplirse y hace falta un desarrollo histórico y una estabilización de intereses sociales y políticos para que la ficción novelística halle su propia expresión.

Por largo tiempo seguirá América la búsqueda de lo americano utilizando formas europeas: el romanticismo, el realismo, y el naturalismo. Se producirán obras de algún mérito, pero todavía adolecerán de no poseer un legítimo valor autóctono.

---

5. P. Henríquez Ureña apoyándose en la opinión de José de la Riva Agüero, *La Historia en el Perú* (Lima, 1910) y *Elogio del Inca Garcilaso*, refuta esta afirmación. Consúltese *Apuntaciones de la novela en América*, p. 4.

6. P. H. Ureña, *Apuntaciones sobre la novela en América*, p. 4.

7. P. H. Ureña, *Op. cit.*, p. 49.

8. *Ibid.*, p. 47.

## 2. Independencia y Romanticismo

Los primeros antecedentes de novela en América, *Cautiverio feliz* de Francisco Núñez de Pineco y Bascuñán, y *Los infortunios de Alonso Ramírez* de Carlos de Sigüenza y Góngora, que aparecen ambos en el siglo XVII, y *El Lazarillo de ciegos caminantes* de Calixto Bustamante Carlos Inga, alias Concolorcorvo, del siglo XVIII son también ejemplos de lo que ha de ser la novela hispanoamericana hasta los primeros años del siglo XX: la realidad americana interpretada con sensibilidad europea. Sin embargo, podemos encontrar en las muchas novelas que se publican en el siglo XIX un creciente interés en darle forma artística dentro de la ficción literaria a los acontecimientos contemporáneos en que se va revelando la pujante personalidad hispanoamericana. Las guerras de la independencia, las luchas de reajuste interno, los nuevos planteamientos ideológicos y la revisión de las formas políticas, sociales y económicas imponen la responsabilidad de afirmar la cultura hispanoamericana y de iluminarla con un ideal de emancipación y de personalidad propia.

Se destacan algunos intelectuales y artistas que reconocen la urgencia de expresar su visión del mundo que les rodea en formas distintas a las heredadas de Europa. Andrés Bello marca un paso de lo ideológico a lo literario. En Inglaterra había recibido influencia de los poetas románticos que cultivaban una poesía de gran frescura y claridad inspirada en las cosas naturales: el folklore, la vida simple y lo inmediato —paisaje y naturaleza. Motivado por esta especial categoría poética, lanza un programa de independencia literaria en su *Alocución a la poesía* en donde invita a las musas a venir a América, tierra más propicia para la creación poética que la vieja y decadente Europa. Más tarde la figura de Domingo Faustino Sarmiento, contribuirá a la aclimatación de la personalidad hispanoamericana.

El elemento criollo va reafirmándose en la búsqueda de un destino propio. La particular característica de ansia de libertad que emana de la tierra, trasciende al hombre que la habita, y de éste nace la intuición de que América está llamada a un destino distinto al del viejo mundo. Tiene que salvar lentamente, la dificultad del fecundo mestizaje espiritual en que España había incorporado al hombre americano, aclimatándolo a una particular actitud, que está en la raíz de la vida criolla y que ha determinado los valores e ideales de la naciente cultura hispanoamericana. *El Periquillo Sarniento* (1816) de José Joaquín Lizardi, que aparece en la segunda década del siglo XIX, es nuestra primera novela hispanoamericana. Esta obra, de molde picaresco, ya esboza en un estilo sencillo y realista, las costumbres y los tipos de la sociedad americana; y enriquece el lenguaje narrativo con interesantes giros expresivos del habla mexicana. Su tono satírico se presta a la censura del ambiente pre-independencia.

El influjo romántico europeo entra a Sur América, vía Argentina hacia el 1830 procedente principalmente de Francia e Inglaterra; impone sus particulares moldes y modelos: Víctor Hugo, Chateaubriand, Byron, Scott; e incita a nuestros escritores a escribir novelas románticas de diversos tipos y valores. Aparecen novelas idílicas, novelas históricas, y novelas puramente sentimentales. Este último tipo aporta poco a nuestra novelística porque se interesa solamente en lo exótico de los asuntos indígenas, a lo Chateaubriand, presentando un indio inverosímil y un falso concepto de lo americano —*Cumandá* (1879) de Juan León Mera y *Navidad en la montaña* (1871), de Ignacio M. altermirano.

Entre las idílicas nos interesa especialmente *María* (1867) del colombiano Jorge Isaacs, porque, aunque se ciñe a la escuela de Saint Pierre: *Paul et Virginie*, y de *Atala* de Chateaubriand —"criaturas inocentes en medio de una naturaleza también inocente que se aman con un amor al que la muerte viene a sellar con una pureza definitiva",[9] tiene un marcado elemento costumbrista y además presenta la naturaleza dotada de un subjetivismo de calidad hispanoamericana.

El costumbrismo en esta novela, censurado por muchos, tiene el particular interés de ubicarnos la obra en una determinada región americana —el valle del Cauca— que aparece desnudo del exotismo usual en los románticos. Solo el episodio de Nay y Sinar, intercalación innecesaria, sirve para satisfacer el gusto romántico por lo exótico —Africa en este caso.

La presentación de la realidad contemporánea, la viveza y fuerza de caracterización de algunos personajes y la asombrosa fidelidad de los hechos de algunas de las novelas romántico-históricas nos hace detenernos en ellas. *Amalia* (1851-55) del argentino José Mármol, aunque por su asunto esté cerca del folletín romántico, vale ante todo, como documento sobre la opresión y la tiranía de la época del tirano Rosas, situación que aun prevalece en la realidad política de algunos de nuestros países. *Enriquillo* (1878) de Manuel Jesús Galván sorprende por la fidelidad histórica, tan ajena a la novela romántica.

El romanticismo tiene sus efectos saludables en el desarrollo de nuestra personalidad. Se enraiza a nuestra sicología, se injerta en nuestra sensibilidad hasta cobrar caracteres propiamente hispanoamericanos que se proyectan hasta nuestros días; y aparece regularmente, salvo en los escritores demasiado modernos. La extraordinaria figura de Domingo Sarmiento es un ejemplo cabal de ese proceso de asimilación vital del romanticismo en América. "Sentía que su yo y su patria eran una misma criatura, comprometida en una misión

---

9. Anderson Imbert, *Op. cit.*, p. 59.

histórica dentro del proceso de la civilización."[10] Su obra *Civilización y Barbarie: Vida de Juan Facundo Quiroga* (1845) no es cuento, ni novela, ni siquiera una biografía pura, sino más bien una especie de mito donde se encuentran "las teorías de Montesquieu y Buckle sobre la importancia de la geografía en la formación del carácter".[11] Esta obra tiene una gran influencia en toda la prosa literaria, principalmente en la novela. Señala la manera de acercarse a la tierra americana: con calor emotivo, pero sin prejuicios literarios; buscar lo fascinante de la tierra, pero en su legítima realidad. Cada trazo que perfila la personalidad de Facundo da contornos también a la verdad real de la naturaleza hispanoamericana. Es obra pensada y expresada en caracteres auténticos. Los caminos quedan trazados hacia la verdadera aventura literaria. De aquí ha de nacer más tarde la novela criollista.

### 3. REALISMO

Las complejidades creadas por el ambiente político y social que prevalece en el momento que sigue a la independencia sirve para nutrir la corriente realista que sigue al romanticismo. La independencia no había traído las bienandanzas esperadas. Sobre las ruinas de la lucha anterior cunde una atmósfera de turbulencias y anarquías: guerras civiles y despotismos alternados fugazmente por regímenes de hombres fuertes. Sólo Chile aparece como una excepción a este estado general de cosas. Allí la cuestión política y social se estabiliza bajo los gobiernos aristocráticos y conservadores de Portales y Montt. "Se inicia un colectivismo político que mira hacia el bien público con espíritu realista, receloso de las teorías doctrinarias de importación extranjera, y además de un firme sentido práctico."[12]
No es, pues, casual el que sea Chile quien ha de dar uno de los primeros cultivadores de la novela realista hispánica: Alberto Blest Gana.[13] La cruda situación de las repúblicas exigía un enfoque realista y del costumbrismo ya insinuado en el romanticismo se pasa fácilmente al realismo. Balzac y Stendhal sirven de modelos a las novelas del colombiano Tomás Carrasquilla y al chileno Blest Gana. La nota social y el interés en los temas históricos destacan las novelas de Blest Gana —*Los trasplantados* y *Durante la reconquista*. Esta última novela, tiene el mérito de ser a manera de una epopeya nacional pues en ella Chile ocupa el primer lugar. "Es Chile, el alma chilena en su lucha por la independencia, el verdadero protagonista de *Du-*

---

10. Anderson Imbert, *Op. cit.*, p. 120.
11. Concha Meléndez, *Signos de Iberoamérica*, p. 93.
12. Jaime Eyzaguirre, *Fisonomía histórica de Chile*, p. 56.
13. Anderson Imbert, *Op. cit.*, p. 162.

*rante la reconquista."* [14] De Carrasquilla interesa la fina sensibilidad en el tratamiento de los temas que lo acercan a la novela artística subjetivista posterior. Tres de sus novelas: *Frutos de mi tierra, Salve Regina* y *La Marquesa Yalambó*, aunque pobres en estructura, revelan el intento de perfilar un estilo propio en el arte narrativo. Interesa también la figura de Luis Orrego Luco por su novela *Casa Grande* (1906) donde revela su interés por la vida social y aunque "el autor ha decaído lenta y seguramente, sus obras perduran como un documento indispensable para nuestra sociedad".[15]

### 4. Naturalismo

Con el trasplante del naturalismo, la novela hispanoamericana adelantó muy poco en su desarrollo. Las nuevas teorías científicas sobre las leyes de evolución darwiniana llevaron a los novelistas a situarse frente a los personajes como ante víctimas de laboratorio. Se desarticula el mundo de la novela en el análisis exagerado del hombre como producto obligado de las leyes de herencia y ambiente. Zolá se había proyectado ya en España en las novelas de Emilia Pardo Bazán, Leopoldo Alas y Vicente Blazco Ibáñez; y en Hispanoamérica. El naturalismo pasa a convertirse "en caricatura de sí mismo —en mediocre costumbrismo".[16] Las novelas de Manuel Zeno Gandía, Clorinda Matto de Turner y Eugenio Cambaceres se mencionan principalmente por ser ejemplos más o menos acertados del naturalismo hispanoamericano.

### 5. Modernismo

Para fines del siglo XIX se siente un cambio de sensibilidad estética. El parnasianismo y el simbolismo francés se unen en la búsqueda de una nueva fórmula artística. Baudelaire y Teófilo Gauthier habían hablado de la teoría de las correspondencias entre el ser contemplador y el objeto contemplado. Verlaine y Mallarme implantan la técnica de sugerir las cosas para desentenderse de la realidad. Los hispanoamericanos Rubén Darío, Leopoldo Lugones, Herrera y Reissig y Guillermo Valencia aprovechan estas corrientes europeas para darle forma al modernismo, nuestra primera expresión de autenticidad estética. El modernismo tiene una aportación valiosa en la creación de un estilo artístico que viene a remozar la prosa narrativa y a ensanchar los horizontes estéticos de nuestra literatura. Los nove-

---

14. Hernán Díaz Arrieta, *Historia personal de la literatura chilena*, p. 183.
15. Hernán Díaz Arrieta, *Panorama de la Literatura Chilena durante el siglo XX*, p. 32.
16. Hernando Téllez, *Fronteras de la novela*, p. 32.

listas han de velar con esmero por el aliño de la frase y han de ajustar la acción, la caracterización de los personajes y la creación ambiental de sus novelas a la expresión artística de la forma. Esto conduce al cultivo de una novela concebida poéticamente, en que la prosa dará importancia, ya no exclusivamente a lo narrativo sino también a lo poético y a lo subjetivo.

El modernismo toma forma en las novelas de Manuel Díaz Rodríguez: *Idolos rotos* y *Sangre patricia*, en donde expone su afán de excesivo refinamiento y su culto por lo estético. *La gloria de Don Ramiro* de Enrique Larreta se destaca principalmente por ser una "magistral coordinación de esfuerzo evocativo de exquisitas percepciones sensoriales".[17] La prosa alcanza categoría plástica con una gama de notas verdaderamente humanas en *El embrujo de Sevilla* de Carlos Reyles.

El realismo y el naturalismo continúan apareciendo, pero esta vez rejuvenecidos por el estilo modernista. Las novelas de Rufino Blanco Fombona y Roberto Payró —realistas— y las de Federico Gamboa —naturalista— crean la crudeza de sus asuntos sutilizándolos con una prosa de estilo poético.

### 6. Postmodernismo y novela criollista

La reacción postmodernista finalmente encamina la novela por derroteros de lo propiamente hispanoamericano. Hay un momento de transición en que se escapa hacia lo poemático, pero finalmente los "escritores reconocen que deben interpretar las peculiares realidades del ambiente físico y social que les rodea. Y, principalmente, interpretar la extraña realidad del hombre americano, como tal, como criatura humana nacida dentro de un cuadro especial de unas determinadas circunstancias."[18] Así surge la novela criollista —del hombre y de la tierra hispanoamericana, de asuntos de la pampa, de la selva, de la manigua; de una geografía misteriosa e inexplorada, en donde el hombre lucha contra circunstancias físicas, sociales y políticas que le presionan de diferente manera a las circunstancias ambientales que conforman al hombre de otros lugares de la tierra. "La imposibilidad de que un héroe de las novelas de Carrasquilla, de Mariano Latorre, de Jorge Icaza o de Miguel Angel Asturias, se comporte sicológicamente como un héroe de Proust, de Joyce, de Aldous Huxley, de Thomas Mann o de Jean-Paul Sartre es el síntoma de que la novela hispanoamericana implica una realidad artística diferente a la realidad artística europea."[19]

17. Anderson Imbert, *Op. cit.*, p. 240.
18. Hernando Téllez, *Op. cit.*, p. 31.
19. *Ibid.*, *Op. cit.*, p. 32.

El criollismo representa el logro final del proceso iniciado por el Inca Garcilaso de la Vega, continuado por Domingo Sarmiento y José Hernández, quienes reclamaron un sitio digno para el hombre y la naturaleza hispanoamericanos falseado por los europeizantes. "Donde la novela de América nos dio su suprema gracia, fue en la criolla y ésta hasta por sus temas, no se parece ya a ninguna del mundo." [20] Surgen diversas formas de novela criollista a tono con la variedad y riqueza del paisaje del ámbito social de América. Los grandes ríos, las selvas, las llanuras interminables, los altos picos formando sierras y cordilleras junto a los diferentes tipos sociales: el indio, el negro, el criollo, el mestizo y el extranjero, ofrecen una variedad de asuntos, temas y conflictos que nutrirán la novela criolla. Las llamadas novelas de paisaje y de la naturaleza —*La Vorágine* de José Eustacio Rivera, *Doña Bárbara* y *Canaima* de Rómulo Gallegos y *La serpiente de oro*, de Ciro Alegría— recogen este conflicto del hombre en lucha con la naturaleza por someterla a su entero dominio.

El criollo representa al hombre hispanoamericano. En él se mezclan ambas culturas reajustadas lentamente en el proceso de la conquista, colonización e independencia de donde le nace una nueva actitud frente a la vida. Ama la tierra, siente que le pertenece y afinca su sicología en ella. Le surgen nombres diversos por toda Hispanoamerérica: *charro* y *pelao* (México), *guajiro* (Cuba), *jíbaro* (Puerto Rico), *llanero* (Venezuela y Colombia), *cholo* (Ecuador, Perú, Bolivia y Panamá), *huaso* —hombre de a caballo— y *roto* —pobrete de la ciudad (Chile) y *gaucho* (Argentina, Uruguay y Brasil). *Cantaclaro, Don Segundo Sombra, El roto* (Edwards Bello) y *Gran señor y rajadiablos* (Barrios), son novelas concebidas en torno a la naturaleza de este hombre de América.

Esta novela criolla también recoge los conflictos creados por el desarrollo económico de los países hispanoamericanos. La revolución industrial acelera el crecimiento de las ciudades y aumenta el elemento extranjero difícil de asimilar por el indio, el negro y el campesino. Las zonas rurales van quedándose distantes e irredentas, hundidas en la ignorancia, la rusticidad y la explotación extranjera. Surge entonces el tipo social marginal en las ciudades y queda el campesino como un ser remoto y extraño. *Hombres de maíz* de Miguel Angel Asturias, *Huasipungo* de Jorge Icaza, *Sobre la misma tierra* de Gallegos y *El mundo es ancho y ajeno* de Ciro Alegría son novelas de la reivindicación de estos seres (explotados) socialmente.

El gaucho junto al llanero es el personaje que mayor relieve artístico ha alcanzado en la novela criollista. Este hombre de a caballo aparece en su ambiente de tierra rústica y ancha, a veces como símbolo poético de la lejanía, la fuerza y la vastedad de la pampa —*Don*

---

20. Agustín del Saz, *Resumen de historia de la novela hispana*, p. 17.

*Segundo Sombra*— sombra que se diluye en el paisaje, imagen de la "verdadera Argentina" que desaparece frente a la "falsa Argentina" como lamentará más tarde Eduardo Mallea. "El aporte más valioso de Güiraldes", asegura Concha Meléndez, "ha sido expresar sin violencia lo americano dentro de una técnica moderna y universal."[21] Carlos Reyles, Enrique Amorim y Benito Lynch nos presentan al gaucho en su etapa actual; un personaje crudo, en crisis; mezcla de intelectual y hombre rústico, envuelto en conflictos y pasiones de circunstancias cotidianas. *Doña Bárbara* y *Cantaclaro* recogen el alma viva del llanero en identificación constante con su tierra: copla y laboriosidad, sentimiento y paisaje.

Mariano Azuela en *Los de abajo*, y Mauricio Magdaleno en *El resplandor* interpretan la realidad histórica contemporánea, la revolución mexicana; y en un estilo altamente poético, crean el ambiente brutal y violento de la lucha. *Las lanzas coloradas* de Arturo Uslar Pietri crea a mancharones dispersos toda la macabra realidad del caos y la barbarie de la guerra de Independencia, alternando un delicado impresionismo con imágenes novedosas propias de los últimos estilos literarios, el superrealismo inclusive.

La novela criollista irá conformándose dentro de la realidad hispanoamericana: paisaje y naturaleza, que además de tener el aroma y el calor de la tierra —lo inmediato—, han de permear una esencia universal —lo trascendental y permanente.

### 7. Subjetivismo y superrealismo

Dos nuevas formas de novela han de surgir al lado del criollismo: la novela subjetiva y la novela superrealista. Ambas tienden hacia una personal visión de la realidad apoyándose en conceptos generales que la acercan más a lo universal y la apartan del particularismo de la novela criollista. Los personajes de esta novela sienten como hombres y no como hispanoamericanos.

El subjetivismo es la interpretación de la realidad desde un mirador solitario. Toda la novela gira en torno a un personaje que vive más hacia dentro que hacia fuera y a cuyo mundo interior sólo se asoma la realidad en atisbos impresionistas y muy estilizados. La trama se simplifica y la acción se reduce a un mínimo. El conflicto es fundamentalmente la falta de armonía entre el sujeto íntimo y los seres de afuera; entre el particular mundo interior y la realidad externa. La prosa en este tipo de novela alcanza un gran lirismo y descansa esencialmente en el valor estilístico de la palabra. Esta nueva forma expresiva en el arte de la novela ya tenía sus precursores. En

---

21. Concha Meléndez, *Op. cit.* p. 94.

*Sangre patricia* (1902) Manuel Díaz Rodríguez y Güiraldes en *Don Segundo Sombra*, hacen incursiones sicológicas en el alma de los personajes. De igual manera Rómulo Gallegos en *Cantaclaro*. Pero donde mejor se logra es en *El niño que enloqueció de amor* y *El hermano asno* de Eduardo Barrios. Jaime Torres Bodet en *Margarita de niebla* y Tomás Blanco en *Los vates* también utilizan la nota subjetivista.

Este tipo de novela se le ha llamado novela sicológica relacionándola con la obra de Dostoievsky, Stendhal, Gide, Proust, Mann y Joyce. Es probable que la influencia de estos escritores se haya sentido en América y despertado el interés por los estados interiores del ser humano. Estudiosos de nuestra literatura como Concha Meléndez, Arturo Torres Rioseco y otros la han llamado así: novela sicológica. Parten ellos del hecho cierto de que el contenido de estas obras es totalmente de "vida interior"; que desatiende casi por entero el aspecto externo de la vida para ocuparse de las profundidades del alma. Los hechos de la realidad exterior interesan como puntos de partida —relación y contraste— para penetrar en ese mundo de misterio y complejidades que es el espíritu humano. El centro de interés de estas novelas es el conflicto interior del hombre y todos los demás elementos están trabajados de modo que logren crear el panorama espiritual del personaje. El novelista nos hace traspasar las fronteras de lo material y penetrar en los estados recónditos de la conciencia humana.

Hernando Téllez, al trazar las fronteras entre la novela europea y la hispanoamericana, al referirse a la novela sicológica en Hispanoamérica, ha señalado que los personajes y sus conflictos no tienen la problemática de conciencia o de razón, ni el sentimiento de intensidad metafísica a lo Proust y Huxley porque los hombres de nuestra novelística se encuentran "en un estado químicamente puro frente a las nociones del bien y el mal. Todo proceso sicológico en estas novelas es elemental." [22] En ningún momento se nos pone delante un retablo de intrincadas personalidades, dispersas, "en secciones, en compartimientos, en subdivisiones que llegan hasta lo infinitamente pequeño", [23] que exige del lector la atención del investigador de laboratorio en espera de extrañas reacciones y de sorprendentes y absurdos resultados. El personaje de nuestras novelas es un hombre de unidad, entero, sin problemas de alta metafísica porque sencillamente lucha por "existir como criatura humana en un ambiente de soledad, lejanía y misterio".[24]

Don Federico de Onís y Anderson Imbert refiriéndose particular-

---

22. Hernando Téllez, *Op. cit.*, p. 33.
23. *Ibid.*
24. *Ibid.*

mente a la novela de Eduardo Barrios, la han calificado de novela subjetiva. Anderson Imbert sostiene que Barrios "usa convenciones narrativas no siempre verosímiles y a veces increíbles desde un punto de vista rigurosamente sicológico" y que "su subjetivismo se da junto con su impresionismo en la creación de frases".[25] Nos convence más la opinión de don Federico de Onís. Señala él, que estos novelistas viven sus propios estados interiores en los personajes que crean, que se caracterizan a sí mismos, y por lo tanto responden sus obras a un puro subjetivismo. Añade además, que estas novelas corresponden al campo de la lírica en donde el escritor trata de expresar sus propios sentimientos y los estados anímicos de su mundo interior. Indica que Azorín y Valle Inclán fueron los cultivadores de este tipo de novela en España y que Barrios inicia la misma en Hispanoamérica.[26]

El superrealismo nace del afán común del vanguardismo en la búsqueda de "algo" superior a la realidad. Responde este arte a una necesidad que sobrecoge al mundo moderno. De la soledad que emana del paisaje, de un pesado abandono, de la apretada soledad de las ciudades, el hombre tiende a replegarse hacia dentro y eso lo lleva a crear un mundo donde refugiarse. Este mundo es de una gran riqueza imaginativa e intuitiva.

Consiste el superrealismo en ampliar el ámbito del mundo imaginativo, trascendiendo las fronteras de la realidad y adentrándose en planos ulteriores creados por la intuición. Aprovecha para ello "las fuerzas creadoras del subconsciente y de los estados oníricos" y "del choque entre las imágenes soñadas y la realidad circundante ha de surgir la obra de arte superrealista".[27] El ámbito espacial de estas incursiones suelen ser las zonas de la subconciencia, de los sueños, y de la muerte finamente intuida. Los puntos de partida para ese deslinde de la realidad pueden ser: el silencio de un cadáver, la inmovilidad de una imagen reflejada, la vaguedad de la niebla, el cerrado mundo de la duda y el mudo gesto de las figuras de los sueños. María Luisa Bombal nos hace penetrar el infranqueable mundo de la "muerte de los muertos" en *La amortajada*. *La última niebla* presenta el viejo problema de la duda frente a la realidad y el sueño. La niebla deshace las fronteras de ambos mundos y la verdad queda indescifrada como una ecuación dolorosa y punzante. El desdoblamiento de la personalidad en una pluralidad de seres que antagonizan ocurre en *Los hombres del hombre* de Eduardo Barrios.

La verdadera novela hispanoamericana surge con el postmodernismo. La novela criollista es la primera forma auténticamente his-

---

25. Anderson Imbert, *Op. cit.* p. 290.
26. Conversación personal con el profesor de Onís.
(Después de nuestro estudio de las novelas de Barrios esperamos llegar a conclusiones respecto a este particular. Aparecerán al final de este trabajo.)
27. *Diccionario de Literatura Española*, p. 680.

panoamericana. Los asuntos y los temas de esta novela son tan autóctonos como las formas estético-expresivas en que se desarrolla. El subjetivismo y el suprarrealismo han venido a cumplir la necesidad de darle a nuestra novela trascendencias universales. Ofrecen perspectivas del hombre sin limitaciones espaciales o temporales. El hombre hispanoamericano afirmado en su propia personalidad, en su naturaleza —física y espiritual— se proyecta al mundo del hombre universal.

## II. EDUARDO BARRIOS: VIDA Y OBRA

### 1. Infancia

Dos patrias de infancia tiene Eduardo Barrios: Chile y Perú. En la primera, la patria de su padre, pasa sus primeros cinco años, casi por entero al cuidado materno —la vida militar mantiene alejado al padre—; y en la segunda, el país donde se acoge la madre al quedar viuda, aprende las primeras letras y termina sus estudios primarios de humanidades. Después de los quince años volverá a Chile y los vagos y lejanos recuerdos familiares volverán a entroncarse en su índole.

Estos dos países, parecidos y diferentes en carácter y geografía han de moldear de una manera especial la arcilla sensible del alma del escritor. A la reciedumbre de lejana cepa araucana, al elemento social burgués —generalmente vasco— y al carácter irregular de la tierra chilena que requieren acción y mucho sentido práctico, ha de unirse el sentido de raigambre nobiliaria, tanto incaica como europea, tradicionalista y romántica de Perú. Las diversas vertientes de sangre que se reunen en su ser y la educación puramente europea que le impartiera la madre en sus primeros años, también prestan un carácter especial a su personalidad.

Sus padres, don Eduardo Barrios Achurra y doña Isabel Hudwalcker Jouanny, se conocen en Perú durante la ocupación de ese país por el ejército chileno en 1881. El, oficial bajo el mando del Almirante Patricio Lynch, procedía de una prestigiosa familia de Santiago; y ella, hija de alemán y de vasco-francesa, había sido educada en Hamburgo hasta los dieciséis años, y por tanto, no se siente tan auténticamente peruana para rechazar el vínculo matrimonial con el chileno:

> "Mi madre no podía tener a los dieciséis años un sentimiento patriótico capaz de luchar con el amor; y así, casó con mi padre, se vino a Chile y, ya en la patria de su hijo y su marido, se sintió chilena."[1]

---

1. Eduardo Barrios, *A manera de autosilueta*, Rep. Am., Vol. 8, agosto, 1924, p. 360.

La breve vida matrimonial de sus padres transcurre en Santiago en donde nace Eduardo Barrios el 25 de octubre de 1884. Es interesante el hecho de que en ese mismo año, para el mes de abril, se ratifica un tratado de paz definitivo entre Chile y Perú.

En el ambiente romántico de Lima transcurren las mejores experiencias de su infancia y adolescencia: la escuela de rígida disciplina conventual donde cursa las humanidades; las primeras lecturas —Julio Verne, Montepín, Zola, etc.— sus primeros amigos y la compañía extraordinaria del abuelo materno, Papá Juan. Este abuelo, el alemán, es el verdadero forjador de la personalidad de Barrios. El substituye al padre ausente y es el primer modelo de hombre que observa más de cerca.

> "Aquel viejo alto y derecho, sonrosado, de sedeñas canas y mirar siempre sonriente y aprobador... de la vasta experiencia de Papá Juan surgía una bondad segura y sencilla." [2]

En la vigorosa personalidad de este abuelo, en su ternura y gran sabiduría, encuentra la orientación y apoyo en las primeras percepciones de la realidad. Amante de la poesía, afinca en el niño un ideal de arte y de belleza, y además, le provee de una aguda penetración para traspasar las formas sensibles hasta llegar a la verdad íntima de las cosas.

En *Un perdido*, aunque la novela no es en modo alguno una obra autobiográfica, Papá Juan aparece como uno de los personajes más fuertes. Espíritu batallador, lector de los románticos alemanes: Heine, Schiller, Goethe, contribuye en gran medida a la formación del carácter de Lucho Bernales, el protagonista de la obra.

> "Sólo hay allí un tipo *totalmente*[3] exacto a su modelo: Papá Juan. Aun cuando la mayoría de sus episodios son equivalentes y no históricos, es él, mi abuelo materno, el alemán, con sus pensamientos, con su alma, con su corazón y *hasta sus palabras.*" [4]

Unas palabras de este personaje pueden dar una idea de la personalidad de este Papá Juan y en qué medida pudo influir en la formación espiritual del futuro escritor:

> "Cuando seas hombre, trata de cultivar un arte. La poesía, la música, la pintura... Cualquiera que sea; que en la vejez, cuando ya la realidad lleva rotas muchas ilusiones, y los padres se nos mueren, y se nos van los hijos a otros amores, y de la esposa nos queda apenas una blanda compañía, ese arte será nuestro más fiel compañero, el

---

2. Eduardo Barrios, *Un perdido*, novena edición, Zig-Zag, 1958, p. 11.
3. El subrayado es nuestro.
4. Eduardo Barrios, *Op. cit.*, p. 360.

único que nunca se ha de sentir importunado en el momento en que el corazón le llame al abrigo."[5]

Asegura Arturo Torres Rioseco que entre "Lucho, el niño que enloqueció de amor y el mismo Barrios hay un fondo común de sensibilidad y experiencia."[6] Sin pecar demasiado por exceso de imaginación, podemos reconstruir su infancia con lo que pueda haber de verdad vivida en su obra *Un perdido*. Y así lo encontramos en la casona de cochera abandonada donde sueña con viajes de veras; lo vemos recorrer las habitaciones buscando entre las cosas de sus abuelos los objetos maravillosos que entretienen su infancia, caminar por el huerto bajo los árboles en las horas de calor mientras los abuelos sestean; en juegos junto a la pileta de agua quieta en su redondez cetrina; y refugiarse al fin, a los pies de Papá Juan que lee versos en el atardecer.

De sus amigos de infancia, dos han de ser sus predilectos: los hermanos Francisco y Ventura García Calderón; sobre todo el último que tiene más o menos su misma edad.

"Soñamos, nos quisimos mucho. Ambos éramos gordos. Aun me dice él en sus cartas querido gordo."[7]

El tiempo trabaría más esta amistad, aún en la inevitable distancia que trae la vida, por el común interés en las letras que los tres amigos mantienen siempre.

## 2. VIDA MILITAR

Regresa Eduardo Barrios a Chile después de cumplidos los quince años. Este regreso representa el inicio de una nueva etapa de su vida y la ruptura definitiva con el pasado: su infancia y adolescencia. Tiene ahora que escoger una carrera y sus abuelos paternos deciden que debe dedicarse a la milicia, la profesión que han seguido casi todos los varones de su familia. Entra en la escuela militar de Iquique en donde, si bien se esforzó hasta distinguirse como cadete, no logra recibirse de oficial. El alma hipersensible de Barrios, hecha al temple del celo amoroso maternal y de la tierna vigilancia de Papá Juan, resiente la doble y contradictoria vida militar: el régimen casi asfixiante del cuartel y la vida licenciosa por las calles de la ciudad. Por tanto abandona definitivamente la milicia.

---

5. Eduardo Barrios, *Ibid.*, p. 11.
6. Arturo Torres Rioseco, *Eduardo Barrios*, Atenea, febrero, 1940, p. 223.
7. Eduardo Barrios, *A manera de autosilueta*, Vol. 8, 1924, p. 360.

### 3. Viajes por América

Interrumpida la carrera militar solo queda a Eduardo Barrios la aventura como única solución inmediata.

> "...rotas ya las relaciones con mi familia paterna, a causa de mi salida de la milicia, y muerto Papá Juan, y pobre mi madre, hube de correr mundo tras el pan, tras la fortuna, tras... no sé cuantos ideales de juventud...".[8]

Recorre media América; diversas tareas le sirven para ganarse el pan y para abrirse camino en el mundo de las multitudes.

> "Hice de todo. Fui comerciante, expedicionario a las gomeras en las montañas del Perú; busqué minas en Collahuasi; llevé libros en las salitreras; entregué máquinas, por cuenta de un ingeniero, en una fábrica de hielo de Guayaquil; en Buenos Aires y Montevideo vendí estufas económicas; viajé entre cómicos y saltimbanquis; y, como el atletismo me apasionó un tiempo, hasta me presenté en público, como discípulo de un atleta de circo, levantando pesas.."[9]

Rodar, aprender y conocer al hombre por sus gestos y ademanes exteriores, es tarea ardua para quien como Eduardo Barrios, aprendió desde niño a cultivar y admirar la rica vida interior.

> "Andar en esa multitud es como meter el alma en una apretadura y oprimirla, y desquiciarla, y asfixiarla..."[10]

Pero a pesar del constante oscilar de las circunstancias —caer y levantarse, estrecheces y saciedades—; conservó siempre un ideal de decoro y pulcritud, por respeto a sí mismo..., "porque en el fondo soy un sentimental" confiesa él mismo.

### 4. Vida sentimental

Tras el constante recorrer mundo sobreviene el cansancio y la necesidad de cosas íntimas, del calor de hogar, de un asidero firme donde los sentimientos arraiguen en plenitud y belleza. De la soledad y la amargura desquiciadora del espíritu le salva su riqueza de vida interior. De esta época dice de él Angel Cruchaga en un reportaje: "...fue amado y amó con la plenitud que el amor alcanza en sus obras, también fue desdeñado y desdeñó a su vez con la crueldad horrible

---

8. *Ibid.*, p. 360.
9. *Ibid.*, p. 360.
10. Eduardo Barrios, *Op. cit.* p. 30.

y sin remedio del desamor. La vida, pues, dura en muchas ocasiones con él, forjó, en el dolor esta alma experta ya, que más tarde se traduce en..."[11] sus obras.

En estas primeras andanzas de hombre que busca no solamente las necesidades vitales, sino también el aprendizaje extraordinario en la lucha y la aventura, la mujer siempre había representado para él el apoyo al cual se entrega apasionadamente "para que calmase sus ansias de ideal y le aliviara la jornada."[12]

A lo largo de su peregrinaje, haciendo camino entre gentes y cosas que acrisolan su espíritu, un gran deseo le salva del total rendimiento: la necesidad de un hogar, de un hijo.

"No me quejo de la vida, porque hoy me va pagando su deuda. Por mucho tiempo me entregué a ella, y entre sus inmensas manos ciegas solo cansancio halló mi corazón. Al volver a Santiago, traía un gran cansancio. Mi esperanza se había refugiado en un anhelo único: tener un hijo. Y me casé contra toda prudencia."[13]

Acaso este demasiado anhelar un hijo, más la ceguera de la fatiga que produce la vida errante, no le permiten prevenir que el matrimonio tenía que representar para él mucho más que el solo logro de la paternidad. Para ese cansancio necesita también compresión, intimidad, amor, paz.

"Ah, yo estaba tan rendido... Es preciso haber vivido todo lo que yo viví, para comprender este cansancio tras el cual la posibilidad de un hijo renovador avienta toda cautela."[14]

Tuvo dos hijos: Raúl y Roberto, por los cuales la vida le fue cobrando dolorosamente a largos plazos. Y este matrimonio se rompe ante el reclamo de justa independencia. Vuelve a contraer matrimonio, esta vez con Carmen Rivadeneira Rodríguez, quien le proporciona la felicidad de sentir su "vieja ansia de amar, ya colmada y satisfecha". Nacen otras hijas: Carmen, Gracia y Angélica, que vienen a completar el círculo de amor largamente esperado. Así la vida pasa adelante, sin jadeos, dejando en sosiego al hombre, satisfecho, conmovido por otra trascendental, "feliz y terrible" ansiedad: "la del espanto ante la eternidad".

---

11. Citado por Eduardo Barrios en Rep. Am., *A manera de autosilueta*, Vol. 8, 1940, p. 360; de un reportaje publicado en *Caras y Caretas* de Buenos Aires a fines del 1918.
12. Milton Rossel, *Atenea*, enero a mayo, 1940, Vol. XLIX, p. 8.
13. Eduardo Barrios, *Op. cit.*, p. 360.
14. *Ibid.*

### 5. Obra literaria

El paisaje irregular de Chile, trepidante de cordilleras que se fruncen alrededor de escasos y pequeños valles, en donde el verde contrasta con lo azuloso de los lagos; mirado, igualmente desde lo alto de los picos como desde los hondones, prende la voluntad hacia la acción y la aventura. Esta tierra exige de sus habitantes el aferrarse a las realidades prácticas; y entre el laborar los campos y el explotar las minas, el hombre pasa del arado y el pastoreo a triturar la roca.

Las letras chilenas —y con mayor empuje, la historia, que ha tenido varios cultivadores— se nutren de esta realidad. Tanto el cuento como la novela —Alberto Blest Gana y Mariano Latorre— toman cuerpo y forma de la visión exacta y concreta de las cosas.

Seguir el otro camino, al vuelo de la fantasía, adentrarse por otros senderos donde la tierra apenas se toca, y eludir ese sello inexorable de la realidad exterior, es camino de pocos. Eduardo Barrios es uno de estos pocos para quienes escribir es "evadirse de la realidad vulgar".

Inicia su carrera literaria dando salida a todo ese mundo interior que se ha ido acumulando durante sus años de trotamundo, y más lejos aún, de su infancia y adolescencia. El mismo confiesa: "Escribo desde... no sé desde cuando. De niño, no diré que escribía, materialmente; pero soñaba mucho y soñar es componer." Han de ser *necesariamente* el cuento y la novela los medios que escoja para dar forma a sus primeros intentos literarios. La experiencia, el secreto íntimo que le deja la vida de las cosas y los seres, son para ser narradas como confidencias o trabadas a comunes incidentes cotidianos, donde cobra mayor relieve el conflicto interior que lo anecdótico.

Luego intenta el género dramático y logra algunas piezas de mérito, que son bien acogidas en Chile, pero que no logran satisfacer plenamente al autor; y vuelve al camino de la novela. A Barrios le interesa principalmente la complejidad anímica del hombre, sus luchas interiores por acomodarse al mundo de las circunstancias y prefiere entre todos, al hombre que fracasa porque se centra dentro de sí mismo y no hace frente a la vida: el sentimental.

Ni el cuento ni el teatro le sirven para recoger el conflicto de este hombre sentimental como le servirá la novela. El teatro se fabrica con hechos exteriores —actuaciones, gestos y palabras— y éstos no han de revelar plenamente la complejidad íntima del personaje, a menos que toda la trama sea un puro monólogo interior. El cuento no tiene la complejidad susceptible de detalles y pormenores que progresivamente nos den esos personajes y su mundo.

Esos primeros tanteos entre la novela, el cuento y el teatro le sirven para acomodarse en el género que mejor se adapta a su particular tipo de creación literaria: la novela.

Su primer libro: *Del natural*, publicado en Iquique en el 1907, recoge varios cuentos y una novela corta, *Tirana Ley*. A los veintitrés años, Eduardo Barrios no tiene todavía el buen gusto y el decoro para escoger sus asuntos, y la obra no pasa de ser una vehemente exposición del erotismo humano, hecha a la manera naturalista, producto de las lecturas de novelas europeas llegadas con retraso a América. Evidentemente, esta primera obra recoge ese momento de ebullición y transición psicológica en que el autor trata de racionalizar, un poco ingenuamente, los ardores y ansiedades propias de la juventud.[14]

> "Dos esposos no hablan tan solo del sol, de la luna, de la poesía casta. Gozan del amor carnal y espiritualmente; su pasión es *sentimental*[15] y concupiscente a la vez: y el escritor que no concierte estas dos fases, hará algo imperfecto, falto de vida, y, por lo tanto, desprovisto de interés."[16]

La sociedad burguesa chilena, de puro entronque conservador, no acoge esta obra que solo tuvo una publicación, y Barrios orienta sus afanes literarios hacia el género dramático. Produce tres piezas de teatro: *Los mercaderes en el templo* (1910), *Por el decoro (Ante todo la oficina)*[17] (1912), y *Lo que niega la vida* (1913) que fueron representadas en Chile y tuvieron una gran acogida, pero Eduardo Barrios sigue sin ser conocido por la mayoría de la gente culta de América.

Para 1915 publica *El niño que enloqueció de amor* en donde ensaya el tipo de novela que le ha de consagrar definitivamente más tarde: *la confidencia de una tragedia interior que va destruyendo hasta el caos final*. Crea además, para este tipo de novela, una prosa narrativa de gran lirismo que se ajusta al subjetivismo con que se trata el asunto. Tarda nueve años en producir otra novela que corresponda a la categoría de esta primera obra que se aparta tan elegantemente de la hasta entonces descriptiva novela chilena.

Mientras tanto, vuelve otra vez al género dramático, y esta vez escribe *Vivir* (1916), en donde, si bien continúa examinando el ambiente burgués y los personajes que luchan por rechazar los viejos estatutos, tiene más fuerza dramática, y tanto los personajes como la

---

14. Los comentarios sobre esta novela los obtuvimos de Arturo Torres Rioseco; *Atenea*, Vol. XLIX, 1940, ps. 212-214, al sernos imposible encontrar la obra.
15. El subrayado es nuestro por la importancia de este concepto en la obra de Barrios.
16. Cita hecha por Arturo Torres Rioseco en el mismo ensayo, tomada a su vez del próloog de la obra de Barrios, A. VIXLIX, 1940, p. 213.
17. Título con que aparece después en sus últimas publicaciones.

trama son más convincentes. Sin duda, este teatro de Eduardo Barrios contribuye a madurar en el público chileno el gusto por un teatro nacional que recoja vivencias de actualidad y contribuye, además, a crear una conciencia moral que se ajuste mejor a las sociedades nuevas.

En 1918 sale una novela larga, en dos tomos, *Un perdido*, que continúa en cierto modo la vieja tradición narrativo-descriptiva de la novela chilena, pero la fina percepción de Barrios y su apego por la incursión en la intimidad del hombre, llevan esta obra al mismo tema y al mismo conflicto subjetivo de *El niño que enloqueció de amor*, aunque no tenga el estilo transparente y hermoso de esta última.

*El hermano asno* lo coloca entre uno de los más reconocidos escritores, no solamente de Chile, sino de América, y lo da a conocer en el extranjero. Ya *El niño que enloqueció de amor* había tenido varias ediciones en Chile y *Un perdido*, dos ediciones en Chile y Buenos Aires, pero es con la aparición de *El hermano asno* en 1922 que crece el interés por la obra de Eduardo Barrios. Esta obra se publica por primera vez en Santiago, luego en Buenos Aires en el 1923; la tercera y cuarta edición aparecen en Chile (Nascimento) y Argentina (Losada) respectivamente; la quinta edición sale en Madrid; luego se hacen seis ediciones más en Chile (Nascimento) y otras varias ediciones por Ercilla y Zig-Zag. Se traduce al francés,[18] al inglés,[19] y tiene una última edición española en Estados Unidos en el 1958.[20] *El niño que enloqueció de amor* vuelve a publicarse varias veces: en Barcelona, Buenos Aires, Chile y Estados Unidos; y *Un perdido* logra nuevas ediciones en Chile y Madrid.

Una vez consagrado dentro del ambiente literario, Eduardo Barrios se dedica fundamentalmente a ejercer puestos administrativos para los que es designado dentro de su país. Escribe para periódicos y continúa su aportación literaria dentro de la agrupación de *Los Diez*,[21] de la cual es uno de los fundadores. Al año siguiente de la aparición de *El hermano asno* publica un libro de cuentos, *Páginas de un pobre diablo*, en donde sigue la trayectoria de intimismo psicológico que había iniciado en sus obras anteriores. En el 1925 publica *Y la vida sigue* que recoge una obra de teatro y varios cuentos publicados anteriormente. Este libro interesa por unas notas autobiográficas: *Y también algo de mí*, y por el hermoso prólogo que le dedica Gabriela Mistral.

Sobreviene entonces un largo silencio en que acaso, esas mismas

---

18. Francis de Miomandre, *La Revue de Litterature Americaine*.
19. En «Fiesta in November», Selección hispanoamericana; New York, 1952.
20. Las Américas Publishing Co., New York, 1958.
21. Capilla literaria que reunió un grupo de artistas, escritores preocupados por las nuevas corrientes estéticas postmodernistas.

ocupaciones administrativas o la responsabilidad artística del autor, no le permiten publicar obra alguna. No es hasta el 1944, cuando el autor tiene sesenta años, que aparece una nueva novela, *Tamarugal*, que subtitula, *Una lejana historia entre dos cuentos que le pertenecen*. Esta novela revela un intento de parte de Barrios de ajustarse a la tradición realista y de bregar con el tema de lo americano y lo criollista. Tiene, además, unos personajes diferentes a los anteriores en la manera de encararse con la realidad. Esta tendencia la continúa en su próxima novela, *Gran señor y rajadiablos*, escrita en 1948, en donde logra crear un personaje extraordinario, propio del ambiente campesino chileno de fines del siglo XIX.

En su última novela, *Los hombres del hombre* (1949) aunque utiliza unos recursos de técnica nuevos para el desarrollo de la trama, cierra el círculo iniciado por sus novelas anteriores, sobre todo, *El niño que enloqueció de amor* y *El hermano asno*.

6. El funcionario público

A la vez que van apareciendo sus obras y se va conociendo su nombre dentro y fuera de Chile, van también abriéndosele las puertas de la cosa pública en su país. Su primer empleo estable es un puesto de taquígrafo en la Cámara de Diputados, el que desempeña por doce años. Al mismo tiempo es secretario del prorrector de la Universidad de Chile durante dieciséis años, y desempeña igualmente las funciones de jefe de redacción del diario *La Mañana*. En 1925 empieza a dirigir la revista *Atenea*, que edita la Universidad de Concepción. El 17 de marzo de 1925 le nombran conservador del Registro de la Propiedad Intelectual, cargo creado por la ley de Propiedad Intelectual que comienza a regir propiamente el 1.º de julio de ese mismo año.

Dos años más tarde, el 26 de febrero, el presidente de la república, don Emiliano Figueroa Larraín, le lleva a ocupar el cargo de Director General de Bibliotecas y de la Biblioteca Nacional, al jubilarse de dicho puesto don Carlos Silva Cruz. Reorganiza este servicio en el que incluye los archivos y museos, por lo que pasa a llamarse desde entonces dicho puesto, Dirección de Bibliotecas, Archivos y Museos.

A partir del 18 de noviembre de 1927, desempeña el cargo de Ministro de Educación, designado por el Presidente Ibáñez. En las funciones de este ministerio, desde el 1927 al 1928, realiza una reforma educativa en Chile: firma los decretos que implantan varias mejoras al sistema tales como fijar el sueldo de empleados, contratar trescientos millones de pesos para la construcción de escuelas y planear la reforma docente de instrucción superior.

Al caer la presidencia de Ibáñez, el 26 de julio de 1931, Eduardo Barrios renuncia de su cargo de Director General de Bibliotecas y se retira de la vida pública para internarse en unas tierras que compra en la cordillera; se convierte en colono, y, lleno de entusiasmo, se dedica a convertir aquellas tierras en un fundo ganadero. Mantiene, sin embargo, sus contactos periodísticos escribiendo para la prensa de su país. Había aprendido a hacer de todo en su juventud durante sus correrías por América y conoce además la satisfacción de disponer de lo mejor de su empeño y buena voluntad en todo aquello que emprende. Su vida de colono se prolonga; desde el 1937 hasta el 1943 administra el fundo La Marquesa, situado entre Melipilla y San Antonio; y tanto se da a esta tarea de colono que le sirve de retiro, que es precisamente este período la época de silencio del novelista. Sin duda alguna, esas experiencias en la vida del campo le sirven para crear su novela *Gran señor y rajadiablos*.

Dentro de sus quehaceres literarios se ha destacado, además, como presidente de la Sociedad de Escritores de Chile, miembro de número de la Academia Chilena de la Lengua y miembro correspondiente de la Real Academia Española, de la Academia de Argentina y de la Academia Brasilera. Pertenece al Pen Club de Chile, del cual es fundador, y colabora con los periódicos *La Nación* y *El Mercurio*. Se le distingue con el Premio Nacional de Literatura en 1946 como un merecido homenaje de reconocimiento a su magnífica aportación en la universalización de las letras y del arte de su país.

En la actualidad, don Carlos Ibáñez del Campo, presidente de la república, le ha designado de nuevo para sus antiguos cargos de Director General de Bibliotecas, Archivos y Museos y Ministro de Educación Pública.

> "En tanto camino.
> Y una gracia imploro a los dioses: que no envejezca mi espíritu. Por exaltación escalaremos la suprema serenidad." [22]

### 7. Ideas generales sobre la obra de Barrios

En conjunto, la obra de Barrios alcanza un total aproximado de veinte obras: dos novelas cortas, cinco novelas, cuatro obras de teatro y, poco más o menos, doce cuentos.[23] Sobre la poesía él mismo confiesa que la escribe a escondidas, "como quien comete un secreto y delicioso pecado".[24] Para él todos los géneros son eficaces medios

---

22. Eduardo Barrios, *Y la vida sigue*, p. 91.
23. No conocemos el número de cuentos que aparecen en su primer libro *Del Natural*, el cual no hemos podido conseguir.
24. Eduardo Barrios, *Y también algo de mí* en *Y la vida sigue*, p. 86.

de comunicación y no siente predilección especial por ninguno, aunque a su juicio, "géneros más bien hacen falta", y además, "en todo cabe algo de nosotros; y nosotros no cabemos en todos ellos juntos".[25] Sin embargo, cultiva preferentemente la novela porque en ella encuentra más amplitud de medios comunicativos y afirma:

> "...en ella entran todos los géneros: el episodio no es otra cosa que el cuento, el diálogo coge del teatro la palpitación viva, el calor del movimiento, y con la ventaja de hacerlo en voz queda...; el poema, en fin, estremece la concepción, canta en el tono de la emoción enaltecida, en las sensaciones clarificadas, y, en cada oportunidad lírica, exprime su sangre azul."[26]

Son pues, sus novelas, su mejor producción literaria. Algunos de sus cuentos alcanzan categoría literaria, pero no se destacan como sus novelas. En el género dramático logró llevar a la escena algunos aspectos de la realidad de su época, especialmente el elemento social, el cual aprovecha para exponer las ideas sociales prevalecientes en su tiempo.

El tema que prepondera en la obra de Barrios es el conflicto interior del hombre; unas veces aparece en lucha con la realidad que le rodea, porque debido a su personalidad no puede o no sabe ajustarse a ella; otras veces, en lucha consigo mismo porque no puede alcanzar lo que desea, ya por desconfianza en sus virtudes o por carecer de ellas; y otras, en que se pierde en el caos interior, queriendo resolver por sí solo todo el conflicto que le destruye porque no puede o no se atreve exteriorizar su angustia. En la mayoría de los casos, Barrios se ocupa de seres sentimentales introvertidos, cuya vida interior es intensa y rica en contenido emocional propicia para la incursión sicológica, aspecto este, que interesa grandemente a Barrios en su concepción novelística.[27]

En casi todas sus obras de ficción acude a la técnica narrativa del diario, de modo que el punto de vista de primera persona es el más frecuente, facilitando así el enfoque subjetivo del mundo interior de sus personajes al individualizarse en cada una de sus historias. Además, el diario es esencialmente revelación íntima en el cual se exteriorizan los estados anímicos. Carlos Hamilton ha llamado a Eduardo Barrios un "meditador de almas"[28] y en esto consiste principalmente su tarea novelística. Emplea en ocasiones el procedimiento de la evocación y el método epistolar, formas ambas que le permiten ocu-

---

25. *Ibid.*
26. *Ibid.*
27. Este aspecto lo discutiremos ampliamente más adelante en nuestro estudio.
28. Carlos Hamilton, *La novelística de Eduardo Barrios*, prólogo al *El hermano asno*, Las Américas Publishing Co., New York.

parse casi por entero de los problemas particulares de los protagonistas.[29]

En la concepción de sus cuentos y novelas, Eduardo Barrios revela tres maneras o enfoques en el tratamiento de los asuntos y de los temas. Y aunque hay una relación clara en todos los asuntos y una prolongación de esencia temática, por este tratamiento particular podemos agrupar sus novelas a base de los caracteres que las integran: a) aquellas en que el único elemento fundamental es la vida interior de los personajes; b) aquellas en las cuales, además del elemento de vida interior, aparece paralelamente el elemento realista o criollista y c) aquellas en las que siendo también de vida interior, están sometidas a un tratamiento suprarrealista.

En el primer tipo, obras de vida interior, agrupamos dos novelas: *El niño que enloqueció de amor* y *El hermano asno*, y seis cuentos: *Páginas de un pobre diablo, Pobre feo, Canción, La antipatía, Papá y mamá* y *Como hermanas*. En todas estas obras la acción exterior es mínima y el mundo exterior no tiene gran importancia. Las circunstancias del ambiente chileno: sociedad, política, costumbres y tradiciones chilenas interesan en el grado en que enmarcan el personaje y ayudan a su caracterización anímica, pero no cobran relieve por sí solas.

En el segundo tipo encontramos tres novelas: *Un perdido, Tamarugal,* y *Gran señor y rajadiablos*, y dos cuentos: *Santo remedio* y *Camanchaca* que pertenecen a la novela *Tamarugal* porque en ellos se extiende el mismo tema y el mismo asunto. *Un perdido* es una novela de vida interior porque el centro de interés es el conflicto espiritual del protagonista, pero el ambiente urbano chileno también logra destacarse y eso nos obliga a separarla del primer tipo y a considerarla en esta segunda agrupación. *Tamarugal* se acerca más al realismo que ninguna otra novela de Barrios, aunque en ninguna de ellas encontramos el puro realismo galdosiano seguido en Chile por Alberto Blest Gana. En *Gran señor y rajadiablos* aparece el elemento criollista que aunque tampoco tiene la fuerza de las verdaderas novelas de este género, en donde vemos al hombre americano envuelto en el drama de su tierra, logra destacarse y no puede ignorarse en un estudio detenido de la obra de Barrios. *Gran señor y rajadiablos* es más americana. Su protagonista José Pedro Valverde, responde por su textura sicológica a esa clase de hombres americanos que se forjan al temple de circunstancias propias de Sur América. En Valverde conviven en dualidad vigorosa la cultura europea y la fuerza primitiva un poco salvaje.

La última obra de Barrios, *Los hombres del hombre*, la conside-

---

29. En capítulo posterior abundaremos sobre la técnica novelística de Barrios.

ramos en el tercer tipo: novelas de vida interior sometidas a un tratamiento suprarrealista. El suprarrealismo aparece como una tendencia estética para los años de la postguerra y es el último de los "ismos" que más influencia tiene en la concepción artística. Se busca una interpretación de la realidad por los senderos del subconsciente aspirando, sobre todo, a una verdad más absoluta que la que comúnmente consiguen la inteligencia y la lógica. Se lanzan estos autores en el mundo del ensueño, de evasión y evocación, de incursión íntima. Es un sumergirse en el mundo de las sombras, cerrarse al mundo de las realidades exteriores y buscar bien hondo la verdad esclarecedora. El protagonista de *Los hombres del hombre*, en el momento en que decide aclarar una duda que le tortura, se expresa así:

> "Se hace menester una limpia soledad en el espíritu innominado. Quiero apagar la luz, dejar esta galería que me cerca. Saldré un poco al aire. Hace un rato, la noche me insinuó recuerdos que tal vez resulten esclarecedores." [30]

Y más adelante:

> "Y acaso, así, y aquí, como un caracol rodado hasta un rincón de la vida, resuene más sereno dentro de mi pecho el universo, y en especial este complejo universo de mi mundo interior, en el cual me agito y me pierdo." [31]

El protagonista se abisma dentro del trasfondo de su personalidad para interpretarnos la realidad y sólo logra darnos atisbos que nacen del caudal inmanente de la experiencia que se capta, más por la sensibilidad que por la lógica del intelecto. Barrios logra la caracterización de este personaje, disgregando la multitud interior de su personalidad en siete personalidades diferentes que pugnan por esclarecer, cada uno en la medida de su particular condición humana, el laberinto de una duda que toma dimensiones desorbitantes. La novela tiene, por lo tanto, dos clases de personajes: los suprarreales y los reales. Estos últimos son generalmente siluetas y se quedan a la sombra de la realidad que el novelista evade.

En nuestro estudio de la obra de Barrios, veremos los cuentos y novelas dentro de los tres diferentes tipos agrupados anteriormente. Nuestro criterio de clasificación parte principalmente del enfoque o tratamiento utilizado en cada una de las obras. No obstante, insistimos en la unidad temática de toda la obra de Barrios en donde el principal centro de interés es el mundo anímico del hombre.

Su obra dramática la veremos en capítulos aparte, así como su estilo y su técnica novelística.

---

30. Eduardo Barrios, *Los hombres del hombre*, p. 11.
31. *Ibid.*, p. 15.

## III. OBRAS DE VIDA INTERIOR

Las novelas: *El niño que enloqueció de amor* y *El hermano asno* y los cuentos: *Páginas de un pobre diablo, Canción, Pobre feo, La antipatía, Como hermanas* y *Papá y mamá*, son obras en donde Barrios intenta exteriorizar el mundo íntimo del hombre. En todas ellas, se destacan en primer término unos estados de emoción tan sutiles e intensos, que son los que le dan forma y contenido a toda la obra. Los asuntos, los temas y, sobre todo, los personajes, resultan de esta incursión intuitiva al sentimiento humano. El conflicto interior es el eje motivador de toda la obra y todos los elementos giran alrededor de él, de tal modo, que resulta un conjunto armonioso de estructura. Donald Fogelquist señala que este logro artístico de estructura armoniosa y el don de naturalidad con que se realiza, se consigue "porque el autor se mantiene siempre fiel a su propia experiencia emocional".[1]

Todas estas obras, excepto *La antipatía*, giran en torno al mismo tema: el conflicto de introvertidos sentimentales que no logran armonizar su mundo interior con las circunstancias que los envuelven. Nos presenta la angustia de seres hipersensibles, aislados en el mundo de su reflexión interior, en una actitud un tanto narcisista, y a veces soberbia, que proviene de su impotencia para luchar con las fuerzas exteriores. La incapacidad de un acto de voluntad salvadora que los una al ritmo de la vida de los demás seres y de las cosas, los convierte en seres frustrados. Conforman esta indolencia con las más intrincadas racionalizaciones, para evadir toda responsabilidad en su propio fracaso.

Los protagonistas de Barrios, no solamente están ideados subjetivamente por el autor, sino que también resultan, en cierto modo, seres románticos, por su visión subjetiva del mundo. Asegura Arturo Torres Rioseco que "el subjetivismo profundo de estos seres hace que sus espíritus tengan la transparencia e inestabilidad de las aguas tranquilas, siempre sujetas al capricho del viento",[2] y que, por lo tanto, "al más leve influjo exterior se alteran, y a veces, las causas

---
1. Donald Fogelquist, *Eduardo Barrios en su etapa actual*, p. 16.
2. Arturo Torres Rioseco, *Eduardo Barrios*, p. 230.

son misteriosas e inexplicables".[3] Muchas veces estos personajes nos resultan lejanos y, salvo el comprender que existe una angustia interior muy intensa, nos quedamos sin asir totalmente su personalidad. Esa sutileza intimista de impresiones subjetivas con que Barrios crea sus personajes, no permite precisar con objetividad la sicología de los mismos, quedándonos una niebla lírica de su personalidad. Asegura Carlos Hamilton que la novela de Barrios "trata de un sicologismo artístico, hecho de intuiciones geniales a veces, que convence en retratos reales o autorretratos vividos. Pero como vive un artista, en la fantasía creadora que se fabrica su propia realidad."[4]

El ambiente también se concibe subjetivamente. Particularmente en estas obras, el paisaje exterior se crea por impresiones de gran belleza que penetran la intimidad de los personajes, sobrepasando el efecto puramente sensorial para convertirse en vivencias espirituales. Véase un ejemplo de unas de estas percepciones fugaces del paisaje que dejan un temblor poético en la atmósfera de la obra:

> "una paloma muy blanca bajó del olivo viejo, se posó en el brocal del pozo y se puso a beber el agua estancada en los maderos carcomidos..."[5]

Estas impresiones delicadas y sutiles del mundo exterior son muchas veces puras veleidades que abstraen a estos seres del mundo de la realidad, donde también existen cosas ordinarias y prosaicas. El verdadero ambiente de estas obras es el panorama espiritual e interior que se nutre de esas finas percepciones del mundo exterior. Barrios logra ese ambiente unas veces creando celajes impresionistas, y otras, con imágenes esplendorosas de sensibilidad modernista.

Declara Guillermo Cotto Turner que Barrios "usa la realidad como medio para adentrarse en los misterios del sentimiento y la emoción. No se resbala, sino que se hunde hasta confundirse con el misterio, delatándolo siempre, a veces haciendo de él el eje del triunfo y otras veces, la base enigmática de dudas y conjeturas."[6] La visión del mundo de estas obras carece enteramente de objetividad. Es una visión unilateral, personalísima, deliberadamente subjetiva. Sin embargo, no resulta en una deformación de la realidad a la manera romántica, aunque solo nos permita atisbar la verdad, cuando sorprendemos un hecho de apreciación y de experiencia que se identifique con algo que hayamos vivido o experimentado.

La desarmonía entre la extremada sutileza anímica de los perso-

---

3. *Ibid.*, p. 233.
4. Carlos D. Hamilton, *La novelística de Eduardo Barrios*, Introducción al *El hermano asno*, Las Américas Publishing Co., 1958, p. 12.
5. Eduardo Barrios, *El hermano asno*, ps. 29-30.
6. Guillermo Cotto Turner, *Eduardo Barrios: novelista del sentimiento*, p. 271.

najes y la realidad exterior es el núcleo centralizador que sostiene toda la trama. Este conflicto se destaca por sí mismo, desentendiéndose de los seres particulares que los sufren para convertirse en materia de transcendencia universal. De acuerdo con E. Ruiz Vernacci, "este espejo de Barrios —añoranza de Stendahl— no se pasea por el mundo apenas: busca y encuentra los recovecos del alma".[7]

### 1. El niño que enloqueció de amor

Con esta novela corta de 1915, se inicia Barrios en el verdadero camino de su creación literaria: la creación del mundo recóndito y misterioso del espíritu humano, trabajándolo estéticamente hasta alcanzar la más alta poesía. En ella aparece, no solamente su estilo de calidad lírica y subjetiva, sino también el tema ya esbozado anteriormente: el conflicto de seres hipersensibles, sentimentales y débiles, quienes en el constante mirarse a sí mismos, no logran triunfar en el mundo de la realidad exterior. El caso particular de esta novela es el de un niño de precocidad sentimental que lucha con una pasión amorosa superior a su capacidad psíquica emocional. Incapaz de realizar los ajustes normales y de confiar su angustia a quienes puedan ayudarle, se sumerge en la soledad de su mundo interior, y finalmente sobrevienen el caos, la locura y la muerte. El diario ingenuo y doloroso del personaje va revelando su amor por Angélica, la amiga de la madre, quien no puede suponer la pasión que ha provocado en el corazón del niño.

El novelista asegura haber encontrado este diario después que la locura ha dominado la razón del niño. Un simple cuaderno escolar de Historia y Geografía encerraba la verdad de aquel extraño mal que tenía perplejos a los médicos. Página a página crece esta pasión que va aniquilando la razón del niño. Desde las simples preferencias del niño por esta muchacha que le acaricia y le regala, las imitaciones de los gestos particulares de la joven, hasta la más extraña escena de celos, Barrios va elaborando este caso patológico de precocidad sentimental.

El niño, de una sensibilidad muy delicada, percibe la extraña situación que crea su presencia en la casa que habita con la madre, la abuela y los hermanos. Sin duda alguna es un hijo ilegítimo de don Carlos Romeral. La abuela no le mima, sus hermanos no le quieren y su madre llora y se preocupa demasiado por él. El niño ha sorprendido pedazos de conversación, no sabe la verdad, pero la intuye. Su gran timidez ha ido desarrollando en él un carácter apocado. Se su-

---

[7]. Ruiz Vernacci, *Una gran novela americana — Los hombres del hombre*, p. 81.

pone distinto a todos y no le divierten los juegos de sus hermanos. "Ellos —confiesa—, se olvidan de sus personas y de todas las cosas y pueden jugar a sus anchas, mientras que yo no me puedo olvidar de mí ni de nada..."[8] Se concentra en sí mismo, prefiere la soledad para entregarse plenamente a sus propios sueños y se resiente hasta de la madre por fijarse tanto en él. En las noches, víctima del insomnio, fabrica su mundo ideal en donde disfruta plenamente de esa "especie de sed y de felicidad" que el amor que siente por Angélica le produce. En esta caracterización del niño tímido, encontramos una gran relación entre este personaje y Lucho Bernales niño, protagonista de *Un perdido*. Ambos viven ensimismados, no saben ajustarse a la realidad que les rodea, huyen del trato social con los demás y para ambos sobreviene el caos final: para el niño la locura y para Lucho Bernales el extravío moral.

La escena de los celos es el momento de culminación de la tragedia del niño. El relato que de ella hace en su diario es conmovedor y revela la habilidad del novelista para ir registrando los diversos estados de ánimo: amor-odio-resentimiento-desesperación-vergüenza-arrepentimiento, que sucesiva y alternadamente, se van apoderando del niño. Los actos exteriores del protagonista corresponden con los que hemos observado frecuentemente en la actitud de celos infantiles, natural en muchos niños. El conflicto interior, sin embargo, sorprende y asusta por la incongruencia entre la violencia de esa pasión amorosa y la inmadurez del niño.

La escena final muestra al niño en estado de delirio. Es el último apunte hecho por el novelista en donde revela cómo llegó el diario a sus manos. Frente a la cama del enfermo, el autor presencia el estado de completa locura en que se ha hundido el niño. El diario se escurre de la cama y el autor lo recoge.

En el delirio del niño se alternan "los terrores de un jabalí cuyos ojos redondos eran humanos" y el dialogar con "campanadas que ya pasaban volando, ya flotaban en el aire, ya caían como goterones en una laguna imaginaria".[9] El doctor, confundido con el extraño mal del niño, lo cree víctima de "los perniciosos efectos del alcohol en el cerebro infantil".

La novela está estructurada por veinticinco apuntes que recoge el sencillo relato del diario, enmarcados por una breve introducción y una nota final en que el autor aclara el origen del diario. La introducción es muy hermosa y está trabajada por medio de una imagen en que se compara el alma del niño que despierta tan prematuramente al amor, con los pájaros a quienes un rayo de luna les anticipa el día y son víctimas de las tinieblas y de la muerte.

---

8. Eduardo Barrios, *El niño que enloqueció de amor*, p. 17.
9. *Ibid.*, p. 67.

La trama es muy sencilla y los personajes se reducen a siluetas que rondan al niño protagonista. El niño se siente rechazado por todos, inclusive por la madre y la abuela. Sólo Angélica tiene esa extraña fascinación en él. Debe ser hermosa, el niño no da detalles de su físico. Don Carlos Romeral también atrae su atención. "Dice cosas que uno siente", confiesa el niño, y es de él de quien ha aprendido a llevar un diario de su vida. Le disgusta la excesiva vigilancia de la madre porque teme que ella pueda descubrir la intimidad de su secreto.

El conflicto interior de esta novela resulta más doloroso que el de *El hermano asno* y el de *Un perdido*. La extrema soledad y la imposibilidad de vencer su angustia crean una situación de verdadero patetismo.

Se ha objetado que el tono y la expresión de la obra no siempre se mantienen a la altura de la capacidad psíquica del niño. Es cierto que se perciben ciertas desarmonías, pero el autor narra con tanta seguridad, acomodándose tan certeramente en el espíritu del personaje, como señala Arturo Torres Rioseco, que el lector no nota las diferencias entre la mente adulta del autor que se oculta tras el espíritu infantil. Se ha dicho también que el proceso emocional del conflicto es demasiado vertiginoso; pero hay que reconocer que Barrios presenta aquí un caso patológico de precocidad emocional y que, por lo tanto, no podemos esperar un desarrollo normal y lógico. Conviene señalar que el autor logra en esta novela una relativa verdad ideal con la que el lector se identifica hasta simpatizar con ella.

Asegura el mismo Barrios que *El niño que enloqueció de amor* recoge un episodio de su vida cuando apenas contaba nueve años,[10] lo cual indica que hay un fondo de experiencia vivida. Lo que aquí ocurre puede no ser verdadero, pero es posible. La concepción novelística tiene un máximo de libertad que le permite crear situaciones que, aunque ilógicas para la realidad, son aceptables dentro del mundo de la ficción. No creemos, pues, que Barrios se aparte del principio de verosimilitud que exige la novela moderna.

Interesa en esta novela, ante todo, la agudeza de Barrios para poder consignar todas las emociones de la intimidad dolorosa de este adolescente que escapa de la vida normal por fáciles invenciones imaginativas. En él la timidez no es más que la corteza que defiende su triste anticipación sentimental. La caracterización del protagonista se destaca por la introspección que hace el autor en esa angustia de alternancia violenta entre el amor vehemente y el odio y, sobre todo, la imposibilidad para confiar a alguien el extraño dolor que aquella pasión le causa.

El tono angustioso y vehemente obliga al lector a seguir el "cres-

---

10. Eduardo Barrios, *Y también algo de mí*, en *Y la vida sigue*, p. 86.

cendo" emocional que va enturbiando el mundo interior del protagonista.

Asegura Arturo Torres Rioseco que este libro "tiene el interés de ser el primer ensayo de sicología infantil hecho en América".[11] Es justo señalar que el empleo de la primera persona en este relato revela el conocimiento que tiene el autor de la sicología infantil y la gran abundancia de ternura y emoción que le capacitan para adentrarse tan finamente en un asunto de tanta sutileza como este.

## 2. El hermano asno

El hecho de que esta novela aparezca en 1922 explica no solamente su estilo, sino también el tratamiento del asunto y del tema. Es éste el momento en que la novela del post-modernismo había encontrado una orientación estética que la apartara de la temática, de los asuntos y de la aparente superficialidad del modernismo. Se mantienen, sin embargo, algunas reminiscencias modernistas, sobre todo, el cultivo esmerado del estilo. La creación de imágenes hermosas, en este momento, no obedece a un mero afán deslumbrador sino más bien a una intención funcional en la realización del contenido. El modernismo lega además, a la literatura posterior, una sensibilidad que persigue un arte de quintaesencias, en donde se aprovecha solamente aquello que resiste estilización y puede alcanzar una profunda belleza. No se ahonda en las esencias puras de los diversos aspectos de la realidad y, por esto, no ha de verse el arte como medida de los valores absolutos. El acercarse a los temas religiosos en una actitud un tanto sensorialista por el interés estético que tienen, sin despreocuparse, por otro lado del sentido vital y profundo que la religión tiene para el hombre, responde a esa nueva visión estética. Es cierto que la novela ya había empezado a buscar temas de asuntos de sentido más profundo —*Alsino*— pero el interés estético triunfa sobre la importancia de las ideas. Sin duda alguna, el ambiente monacal, ceñido al silencio de sus muros, tentó la sensibilidad modernista de Eduardo Barrios, especialmente por el contenido de vida intensa que siempre se supone tras el misterio que lo rodea. Es el puro intuir de la vida interior monástica, deteniéndose en elaborar la belleza de lo sensible con imágenes fugaces y temblorosas, en puros reflejos, propios del impresionismo. Además la centralización de lugar se presta ventajosamente para la incursión sicológica que tanto interesa a Barrios.

El asunto de esta novela es la vida de una comunidad religiosa en un convento franciscano en Santiago de Chile en los comienzos

---

11. A. Torres Rioseco, *Op. cit.*, p. 214.

del siglo XX. Se aprovecha particularmente todo lo que esa vida religiosa tiene de interés artístico para la creación de una obra de gran belleza literaria.

Los protagonistas, Fray Lázaro y Fray Rufino, aspiran a alcanzar el orden sacerdotal, pero por diferentes causas no lo han logrado. Fray Lázaro se ha refugiado en el convento buscando olvidar un fracaso amoroso en el "áspero mundo de los hombres". Su experiencia pasada, su conocimiento y su exceso de análisis no le permiten llegar a la simpleza e ingenuidad que él considera indispensables para alcanzar la gracia franciscana:

> "No soy inocente, no soy ingenuo. La inocencia es un vacío defendido por el velo de la ingenuidad; y las vicisitudes rasgan ese velo, nos hacen receptivos, y el vacío se llena de conocimiento. El conocimiento conduce a la claridad, pero a la plenitud franciscana, a la Gracia, nunca." [12]

Cree que el análisis destruye lo legítimo de las acciones humanas, diferencia y aísla a las criaturas de tal modo, que malogra la identificación —"la larva del amor perfecto". Siente, además, que la sabiduría reside en las cosas naturales que lo ignoran todo y duda que el hombre, por su complejidad, pueda llegar a esa serena perfección:

> "arroyo transparente, ancha flor blanca que te abres en la tarde, pajarillo ardiente de música; rogad por el hermano Lázaro que os envidia ............ sois indiferentes y la indiferencia os entona en la imperturbable serenidad natural. Ignoráis y vuestra ignorancia alcanza la perfecta sabiduría. Por vuestra falta de interés entráis en Dios." [13]

Junto a esto tiene Fray Lázaro, además, la debilidad de entregarse totalmente al deleite fácil de las sensaciones vagas que ofrece la naturaleza. Adormece de tal manera los sentidos en las emanaciones del paisaje, que el espíritu no puede despojarse de las cosas terrenas para llegar al éxtasis místico. Por esto prefiere mejor la soledad del huerto en la hora en que más generosamente se le entrega el paisaje, que el recogimiento de su celda. Es en estos momentos en que está en comunión con la naturaleza, cuando alcanza serenidad espiritual. Logra despojarse de su angustia humana y da su alma en una diáfana y transparente inocencia:

> "Metiéndome por la hortaliza me he sentado entre las coles y he acariciado largo rato un repollo gris." [14]

---

12. Eduardo Barrios, *El hermano asno*, p. 24.
13. *Ibid.*, p. 24.
14. *Ibid.*, ps. 24-25.

> "Mis ojos se posan en el patio. Es verde y suave. Parece que lo hubieran alisado acariciándolo. Se me ocurre que si yo bajara y lo acariciara, él gozaría, como una cabeza amada, y se adormiría." [15]

Su angustia mayor la representa Mario —su pasado— que no le ha abandonado en estos largos siete años. Le persigue constantemente, amenazando destruir lo que hasta aquí ha logrado:

> "Pero no suplantará Mario a este Padre Lázaro que durante siete años vengo edificando sobre las ruinas de mi catástrofe." [16]

Su conflicto se acentúa con la presencia de María Mercedes. Ella revive más intensamente sus flaquezas pasadas. Es la hermana menor de la mujer que le causó aquel "descalabro", y el parecido asombroso entre ambas, más la ingenua persecución de esta muchacha romántica, vienen a producirle un clímax de angustia. Fray Lázaro queda a la deriva entre sus flaquezas espirituales y el acecho tenebroso del "hermano asno".

Fray Rufino vive una angustia parecida pero en contraposición a la de Fray Lázaro. Es un simple y su poca discreción le lleva muy lejos al pretender convertirse en una réplica de San Francisco de Asís. Su tragedia consiste en no saber manejar inteligentemente sus actos, y por ejemplares y extraordinarios que estos sean, van formando un caos que victimiza el alma ingenua del humilde religioso.

Este personaje va evolucionando poco a poco. De la serenidad seráfica, la mansedumbre, la piedad y el amor a las criaturas, estados de donde emergen los milagros que conmueven a los simples; pasa a las mortificaciones para limpiar las "penas sucias" y las bajezas del "hermano asno", y finalmente, es víctima del extravío y las alucinaciones que culminan en su extraña conducta final. Pierde toda su espontaneidad y simpleza y se convierte en un ser extraño que se escapa a nuestra comprensión. Acaso sea este el personaje en que Barrios mejor muestra la complejidad del alma humana, pero nos parece que la unidad de sentido de la obra se debilita un poco por el turbión de conjeturas a que nos precipita el análisis. No obstante, esto no desvirtúa el valor artístico de la obra, sino que más bien lo acentúa, por el halo de niebla en que queda el personaje. Creemos, sin embargo, que ésta es la razón para que algunos críticos le resten importancia a Fray Rufino y le nieguen su carácter de protagonista. Es cierto que su conflicto lo vemos a través de Fray Lázaro, pero no es pura coincidencia que Fray Rufino ocupe tres cuartas partes de la novela y, sobre todo, que los dos personajes se identifiquen hasta el punto de parecernos a veces que ambos son el desdoblamiento de

---

15. *Ibid.*, p. 66.
16. *Ibid.*, p. 81.

una sola personalidad. Muchas veces vemos a ambos personajes en una especie de contrapunto: paralelos en el conflicto, pero opuestos en personalidad.

Ese conflicto de ambos protagonistas al tratar de alcanzar la perfección cristiana es el tema central de la obra y fluye por toda la trama hasta resolverse a la vez con el mismo incidente al final. La realización del tema es lo que realmente le da a la estructura de la obra un verdadero sentido de perfección artística. El conflicto de Fray Lázaro está en primer plano, y a través de éste, vemos en una perspectiva barroca, en claroscuro, retorcida y dramática, la angustia tensa de Fray Rufino. Alrededor, en una gradación armoniosa, aparecen los otros seres que conviven en esta comunidad, destacándose en intensidad y dolor unas almas sobre otras. Se trabajan con esmeros los detalles menores que en sus respectivos niveles, tienen un valor de significación en el logro total del conjunto.

Toda la trama es el fluir de la conciencia de Fray Lázaro que anota en su diario —forma narrativa de la novela— la confesión íntima de su alma. Este diario que llega misteriosamente, porque no se dice su origen, nos hace suponer que indiscretamente nos escurrimos en el ámbito de su alma. Esta se va develando en las páginas sin fechas, como si el tiempo no importara en el transcurso de su angustia espiritual. A la luz que se proyecta del alma de Fray Lázaro se van iluminando las almas de los demás personajes, porque el punto de vista dominador es el de Fray Lázaro y éste va dando, sujeto a su propia interpretación, todo el mundo de la novela. Por tanto, nuestro juicio de los personajes y de la situación, sólo puede atenerse a la visión unilateral de Fray Lázaro.

Los personajes se definen primero, en conjunto, con una sola impresión —"comunidad sin fervor"— monjes sencillos, carentes de "fuego sacro" que trabajan con "celo funcional". Luego se van dando perfiles más precisos de su carácter, sobre todo, de los personajes secundarios. Y así conocemos a Fray Elías, tosco y agrio, carente de preocupaciones, de sensibilidad; para quien llevar un hábito es un acto de sencillez y fuerza, porque "se sirve a Dios como hombre". El padre Guardián es el alma discreta que se esconde en su propia niebla; Fray Bernardo, de bondad temblorosa, que mira a los hombres evocando su infancia para amarlos casi maternalmente, y Fray Jacobo, sin paciencia cristiana para soportar las culpas repetidas de sus feligreses. María Mercedes, sensible y romántica, representa "el siglo", el mundo exterior —la misma fascinación candorosa que tiene el mundo para atrapar a los que buscan la perfección en el retiro de un claustro. De ella comenta Fray Jacobo, a manera de premonición de la tragedia final: "Tiene un mirar diabólico" capaz "de arrastrar al infierno a los hombres". En la novela, este personaje sirve de agente que precisa y precipita el conflicto.

Los demás personajes quedan retratados con un pincelazo impresionista y, a veces, en caricatura un tanto grotesca que mueve a la risa. Desfilan por las páginas del diario "el alma de cacerola blanca" de Fray Juan; la fea humildad de los hermanos legos que soplan la nariz como si "funcionaran a vapor"; el padre procurador "repantigado dentro de sus hábitos abundantes bajo los cuales se le ocultan los pies"; el hermano guarda despensa, "cuya nariz gorda y formidable avanza erguida como un puño que amenaza"; "la carota fofa del hermano cocinero, sentada encima del enorme tronco"; y el sacristán mayor de sayal demasiado corto y de cerquillo demasiado alto.

La estructura de esta novela logra un gran acierto arquitectónico al motivar el clímax: el acercamiento al verdadero espíritu franciscano y la esperanza de salvación de Fray Lázaro. El último incidente queda anotado en el diario como algo "absurdo y grotesco", y así efectivamente es para el lector desprevenido. Esa falta de armonía abrupta es de categoría dramática y nos recuerda lejanamente al *Condenado por desconfiado* de Tirso de Molina. Aquí tiene también un valor eminentemente artístico y no es un exabrupto totalmente desgajado del contenido de la obra, sino que está motivado muy sutilmente. Barrios demuestra su habilidad artística para llevar su obra hasta diversas dimensiones y ángulos de perspectiva, sin romper la unidad interna. Mantiene en una secuencia de relaciones que orientan al lector en clave segura hasta la total posesión del conjunto. Así se ve que desde el comienzo de la obra, ya el novelista viene trabajando el desenlace con ligero anticipo y suaves anuncios de la tragedia final. Fray Lázaro apunta en su diario el efecto que le producen los excesos de penitencia de Fray Rufino:

"Con una gran cruz a cuestas, marchaba de rodillas, rezando la vía-crucis ante los cuadros de la pasión allí colgados. En aquella soledad negra y en aquel silencio, el murmullo gimiente de sus preces y el sordo arrastrarse de su cuerpo contra el piso, dañaban el corazón con un anuncio de tragedia." [17]

Algunas veces es un falso anticipo, con miras a desviar la atención del lector, como ocurre con las palabras de Fray Rufino en un momento de extraña identificación con Fray Lázaro:

"Cuidado, hermano... Ha reincidido... Yo ruego... y usted vacila en su esperanza. Cuidado..." [18]

¿Es acaso que el bueno de Fray Rufino, al intuir el conflicto de Fray Lázaro en un arranque de misericordia, se ha atraído sobre sí todas

---

17. *Ibid.*, ps. 108-109.
18. *Ibid.*, p. 106.

las tentaciones del "hermano asno"? No lo sabemos, pero sí nos revela que el enflaquecido cuerpo de Fray Rufino no está inmune a las sucias tentaciones de la carne. El mismo comenta en una ocasión:

> "Me avergüenzo de mí. ¡Envilecido, grosero me tiene! Se me sube a la mente, me persigue con visiones, y no sé dormir... y si sueño... ¡Oh, basta, basta...!" [19]

Fray Lázaro se ríe de esta confesión. Es grotesco y ridículo imaginar el cuerpo macerado de Fray Rufino, sometido a los donaires de la carne. La escena que mejor motiva el desenlace final, es la del beso del hábito por aquellas mujeres a la puerta del convento. Fray Rufino se aleja llorando, dando ya muestras del extravío a que lo lleva la siniestra aparición del Capuchino, quien le ordena humillar su soberbia de pretendida santidad con un pecado feo y deleznable.

Esta desdibujada presencia del Capuchino proyecta la perspectiva interior hasta un tercer plano, dando la impresión del efecto de las imágenes reflejadas en los espejos. En primer plano, Fray Lázaro, que refleja en distorsión a Fray Rufino en el segundo plano; y de éste se proyecta el fantasma del Capuchino que se mueve en la penumbra del tercer plano. Y desde ese fondo de tinieblas es que surge la solución final de todo el conjunto. El conflicto de ambos protagonistas crece paralelamente y en contrapunto. Fray Lázaro utiliza a María Mercedes para perfeccionar su espíritu en un ritmo de serena amistad; y Fray Rufino ve en ella el medio para realizar el acto que le humille ante todos. Se precipita con esto la solución de ambos conflictos: para Fray Rufino, la serenidad de la muerte y para Fray Lázaro, la oportunidad de alcanzar la perfecta humildad cristiana.

La novela tiene un doble clímax: el de la intriga, que ocurre en la escena final entre María Mercedes y Fray Rufino; y el clímax de sentido, que se logra cuando Fray Lázaro, en un acto de obediencia acepta lo que le ordena el Provincial: librar la reputación de santidad de Fray Rufino del escándalo, aceptar la culpa del pecado y marcharse de misionero a un lugar remoto. Este clímax de intriga —el pretendido acto de lujuria de Fray Rufino— se presta para una serie de conjeturas. Eduardo Barrios ha querido dejar sin develar esta niebla que cubre el camino de la santidad. La obra crece en arte con esta duda final, como apunta G. Cotto Turner, citando a su vez a Luisa Luisi: "La complejidad, la obscuridad de los móviles de la conducta humana, es un factor inapreciable de gestiones y por lo tanto de arte." [20] La novela no puede verse como obra de mística o de teología. El autor sólo ha pretendido dar una interpretación fina e

---

19. *Ibid.*, p. 101.
20. *Op. cit.*, p. 272.

intuitiva que, como artista, ha percibido de la vida monástica. Se puede, por lo tanto, especular un poco ya que la ficción lo permite.

La aclaración del sentido de la novela depende en gran medida de la interpretación que pueda darse a la figura del Capuchino de capuz negro, de barba crespa que cuelga siniestramente sobre el hábito cuyos cordones echan lumbre y quien es el propulsor de la tragedia final de Fray Rufino. Este Capuchino puede ser producto de una mente desquiciada por el desenfreno de la mortificación o la propia conciencia de Fray Rufino que se revela acusadora por su desmedida ambición de notoriedad. Puede ser, además, una tentación demoníaca o la voz del Dios vivo que acrisola su espíritu, o tal vez, "el hermano asno" que le flagela el alma.

Si Fray Rufino ha enloquecido, Barrios quiere señalar los males de la penitencia como medio de salvación y el personaje se convierte en una figura patética. Si en cambio, ese Capuchino es la conciencia acusadora de Fray Rufino se plantea la dificultad del camino de la perfección en que el hombre puede equivocar los medios; planteamiento un tanto pesimista y desalentador. Si todo no es nada más que una prueba a que se somete la santidad de Fray Rufino por medio de la tentación, el hecho parecería más verosímil, pero resultaría difícil convencernos de que Fray Rufino no da la talla. El candor, la simpleza y la caridad del personaje enamoran al lector; en él Barrios ejemplifica la Florecilla franciscana y no podemos imaginarlo como un grandísimo hipócrita o farsante. Su caso recuerda al Padre Sósima de *Los hermanos Karamasov* de Dostoiewsky.

No creemos que Barrios haya querido plantear en esta novela la teoría freudiana del triunfo de lo erótico sobre todas las actividades humanas. En ningún momento se motiva la conducta del personaje en esa dirección. Aunque el título se deriva del habla de San Francisco de Asís que llamaba "el hermano asno" al cuerpo, no es lo erótico el único sentimiento humano que conduce a las bajezas de la carne. Además resultaría inverosímil suponer que Fray Rufino concibiera toda una farsa de pretendida santidad, ni aún inconscientemente, tratando de sublimar un exacerbado erotismo.

También podemos preguntarnos si Barrios quiere plantear en esta obra el viejo debate entre las dos tradicionales ideologías religiosas: la afectiva en donde predomina la íntima efusión amorosa —idea franciscana— y la intelectual de elucubración teológica —idea dominica—. Sin duda alguna Barrios apoya la idea del sentimiento y la emoción como medios más eficaces para alcanzar una vida de plenitud religiosa. Desde ese punto de vista está planteado el conflicto de Fray Lázaro: el amor como medio de santificación porque el cristianismo es una forma de conducta y no una ciencia. El personaje de Fray Rufino está elaborado partiendo de las ideas franciscanas y su vida es ejemplar y digna. Su extraña conducta final, que no se puede delucidar claramente, revela la complejidad de la personalidad humana y los desafueros de su conducta. Sabemos que el discernimiento es imprescindible para cumplir con las leyes divinas y Fray Rufino, desde sus primeros actos piadosos, demuestra que no sabe discernir inteligentemente y se convierte en la trágica víctima del intrincado laberinto que sus actos irreflexivos le acarrean. Pero esa irreflexión es una falla de su carácter y no del medio espiritual que ha elegido para su salvación.

La obra se mueve también en un doble plano ambiental. Del reducido marco material del convento que Fray Lázaro ofrece en vagas impresiones sensoriales, transitamos al ambiente espiritual del paisaje interior de su alma, en donde transcurre la mayor parte de la novela. La atmósfera se capta en esas emanaciones espirituales que se van produciendo en ese doble mirar hacia dentro y hacia fuera, y que están teñidas del subjetivismo del protagonista, hasta tal punto que producen una visión poética del mundo. Las cosas de la realidad natural: el agua, la luz, los colores, no aparecen con su valor concreto y real, sino atenuado en matices y perfiles vagos por la transposición que sufren en el alma del protagonista. El tono general de la novela es ese intimismo confidencial de la confesión hecha en voz baja, en donde lo subjetivo poético va matizando de gran lirismo la revelación de la angustia interior.

### 3. Páginas de un pobre diablo

En este cuento, Barrios también plantea el conflicto del hombre incapacitado para hacer frente a la realidad. Adolfo es un señorito venido a menos, cuya pobreza le obliga a interrumpir sus estudios. Su sensibilidad de poeta y su exagerado refinamiento espiritual no le permiten encararse valientemente con la vulgaridad de una tarea plebeya. En este cuento el tema de los sentimentales derrotados está tratado en un tono humorístico que resulta de la burla que hace de sí mismo el personaje al comprender la imposibilidad de ajustar su espíritu delicadísimo con el grosero mundo al que por necesidad tiene que acudir.

Todo el relato consiste en las confesiones de este muchacho a quien, por su gravedad y sus vestidos negros —último vestigio de su lejana posición— le encuentran muy "en carácter" para trabajar en una empresa de pompas fúnebres a pesar de "mimar un corazón asustadizo de mujercita, unas piernas prontas a doblarse por la menor impresión y una debilidad de sentidos que permite asquearse y gemir ante cuatro ataúdes, cuatro coronas feas y cuatro paños mortuorios".[21]

---

21. Eduardo Barrios, *Páginas de un pobre diablo*, p. 11.

Rodeado de ataúdes que "tiemblan de noche" en el limitado espacio de aquella tienda obscura en donde también pasa las noches, el ambiente se hace más horrible con la vulgaridad y el cinismo de los dueños de la empresa. Y desde este antro de la muerte donde, si no llegan los cadáveres, están "desesperadamente presentes con su olor pegajoso y su persecución de moscas", añora la vida de afuera:

> "¡Ah!, y con estos días de sol. ¡Cómo se habrán puesto los parques! La última tarde que estuve en el forestal, había un otoño de oro, tibio y fino, un ardor suave en el aire. Yo descansaba bajo un tilo, y cubría mi cuerpo una capa de manchas rubias de sol." [22]

Finalmente, huye de aquel ambiente, alegre de poder escapar, aunque tenga que volver al deambular del "pobre diablo". Las personas despreocupadas le parecen "poderosos de vida animal" y de ahí parte para describir los demás personajes en caricatura, destacando sus rasgos animales. Esto contribuye al humor de la obra. Su jefe, don Milton —dueño de aquel "extraño paraíso perdido"— es grueso y velludo, con el pelo recto como si le creciera al revés; de facciones huesudas y la frente ancha y seca "semejante al costillar de un caballo flaco". La bocaza le parte en dos la cara pecosa y "luce unos dientes —muchos dientes— que parecen haberle sido ajustados desde fuera como las clavijas de una guitarra". Su esposa doña Enriqueta, "fornida y grande, los pechazos tembladores... poderosa de ancas y con leonadas crines que se le desmelenan sobre los hombros, recuerda un caballo de circo".[23]

Sin duda alguna, lo mejor de este cuento es ese doble juego entre lo cómico y lo trágico en que el sentido cómico se ceba en la tragedia del personaje. Sin embargo, nos parece demasiado largo porque reitera los mismos efectos cómicos, innecesarios para su sentido.

### 4. CANCIÓN

(1923) El asunto de este cuento está elaborado con los antecedentes del drama *Vivir*. La obra dramática resuelve lo que queda inconcluso en el cuento: la aceptación de la realidad de parte de los protagonistas para poder alcanzar la plenitud amorosa.

Ramiro Concha, afectuoso, apasionado y sensible, aristocrático y refinado, no sabe aceptar su destino de hombre arruinado y, por lo tanto, no puede armonizar sus sentimientos con las circunstancias que le envuelven:

---

22. *Ibid.*, p. 34.
23. *Ibid.*, p. 39.

"Jamás vivo para algo, sino por algo. Los acontecimientos de mi vida me van dictando las determinaciones. Nunca me fijo un plan con el objeto de cosechar resultados previstos." [24]

Huye de Olga, a quien ama, por temor de marchitar la belleza y juventud de la muchacha, uniéndola a su "calvario de necesidades", pero, sobre todo, horrorizado ante la idea de afrontar una vida de burgués pobre. Como Barrios conoce muy bien el alma de los sentimentales, logra motivar la conducta del protagonista. Un suceso insignificante le apresura en la huida; el descubrir que la desconocida que se encontraba todos los días en la calle era una ramera "con la ilusión de parecer pura".

El exceso de detalles en este cuento también le hacen demasiado extenso. Sin embargo, las descripciones del paisaje de Valparaíso, aun cuando son innecesarias, alcanzan una gran belleza por su subjetivismo lírico. El tono del cuento es de una gran ternura y emoción, y le da un aire romántico que contrasta notablemente con la fuerza realista con que se plantea la conclusión de este mismo asunto en la obra de teatro.

### 5. Pobre feo

Este cuento aparece publicado junto a otro cuento breve, *Papá y mamá*, en la primera edición de *El niño que enloqueció de amor*. Presenta la tragedia de un hombre a quien su fealdad y su excesiva timidez le impiden alcanzar la plenitud sentimental. Barrios expone así el conflicto al comenzar el cuento:

"Son muchos los que por ser muy feos, muy tímidos y muy débiles, se consumen en su sed infinita de ternura, en su hambre de amor." [25]

El relato se hace mediante una serie de cartas que unas supuestas primas le dirigen al autor. La caracterización del protagonista se hace, por lo tanto, en forma indirecta, y desde tres ángulos que enfocan al personaje: el punto de vista de una muchacha romántica casi solterona, la inconsciente crueldad de una niña y el sentido práctico del autor que contesta las cartas. Las primas, Isabel y Luisita, la hermana menor, viven en una pensión en donde conocen a José. Este se enamora de Isabel, pero víctima de las burlas que su extrema fealdad provoca en los huéspedes, especialmente en la niña, huye cuando Isabel ya está a punto de corresponderle. El método epistolar se adapta muy bien al cuento, sobre todo para justificar el tono de burla cruel con que se plantea el tema de la fealdad. En éste como en *La anti-*

---

24. Eduardo Barrios, *Canción* en *Páginas de un pobre diablo*, p. 208.
25. Eduardo Barrios, *Pobre feo*, en *Páginas de un pobre diablo*, p. 86.

*patía*, se acentúa el tono de humorismo cruel, casi grotesto, que Eduardo Barrios prefiere en sus cuentos.

### 6. La antipatía

Es éste, a nuestro juicio, el mejor cuento de Eduardo Barrios. Logra presentar en él, en un solo incidente y un mínimo de detalles, el análisis de uno de los sentimientos humanos más complejos: la antipatía. Esta vez el protagonista, un estudiante de medicina, no es un sentimental ni un escéptico. Por el contrario, es un hombre capaz de llegar a decisiones espontáneas sin que medie ni el análisis ni la racionalización, y mucho menos el remordimiento. El tema es el análisis del sentimiento de la antipatía como fuerza negativa que no permite llegar ni al amor ni a la caridad:

"Con los antipáticos, iniciamos una afabilidad, y una mueca involuntaria tuerce nuestra boca afea la frase y nos traiciona." [26]

La situación es esta: la repulsión que siempre le han causado Samuel Manzanares y sus tres hermanas no le permiten al protagonista ni siquiera guardar el debido respeto a la hora de la muerte de Manzanares. La locura momentánea que producen los impulsos de la antipatía le llevan a causarle al enfermo la muerte momentánea. Su aversión al enfermo, disfrazada de piedad, le mueve a administrarle una sobredosis del medicamento. Luego distrae a las hermanas con chistes groseros hasta hacerlas reír a carcajadas mientras el hermano se hunde en la muerte. El final está motivado con los chistes que giran en torno a las burlas que de los cadáveres hacen los estudiantes de medicina, acentuando con esto la atmósfera grotesca de todo el cuento.

### 7. Como hermanas y Papá y mamá

Son dos cuentos de escaso valor literario en donde, aunque el autor consigue interpretar ciertos aspectos de la sicología humana, los asuntos son tan triviales, que no alcanzan categoría artística. Ambos cuentos descansan en el efecto sorpresivo que producen los cambios bruscos en el carácter de los individuos. El primero aparece junto a otros relatos en *Del natural* bajo el título de *Amistad de solteras*, y que de acuerdo con Raúl Otero Silva, Barrios transforma antes de publicarlo de nuevo.[27] En él, una muchacha pondera la lealtad de una amiga momentos antes de recibir una carta en que ésta le

---

26. Eduardo Barrios, *La antipatía*, en *Páginas de un pobre diablo*, p. 105.
27. Raúl Otero Silva, *Cuentistas chilenos del siglo XX*, p. 44.

informa que se casará con el hombre que ambas aman, sobreviniendo entonces el apropiado cambio de actitud.

En *Papá y mamá* un niño se entusiasma tanto en su papel de jefe de la casa en un juego con la hermanita, que hace de mamá, hasta el punto de amenazarla con golpes. Lo gracioso del cuento consiste en que la niña, al ver que la cosa va en serio, toma al hermanito menor en brazos y le hace frente diciéndole con altivez:

"Ramón, respeta a tu hijo."

Estas dos novelas y los seis cuentos estudiados, mantienen una estrecha unidad entre sí. Revelan ante todo, el interés de Eduardo Barrios en los conflictos de vida interior. Son estos los ejes fundamentales, alrededor de los cuales construye el relato, caracteriza a los personajes y crea la atmósfera particular de cada obra. En todos ellos, la acción es mínima y el asunto es fundamentalmente la exposición de esa vida interior y sus relaciones con el mundo exterior. El ambiente espacial es Chile, pero éste no tiene relación directa ni con el conflicto ni con la intriga. Estas ficciones de Eduardo Barrios son un buen ejemplo de obras que aun cuando son americanas, tienen problemática de índole universal.

## IV. LO REALISTA Y LO CRIOLLISTA

Resulta difícil delimitar diferencias en un autor como Eduardo Barrios cuyas obras guardan un secreto parentesco, un hondo vínculo, que las une y las ata en tal forma, que por todas ellas fluye una extraña fuerza con intensidad aglutinante. Su creación novelística consiste esencialmente en la concepción de un mundo puramente artístico intuido por su sensibilidad acuciosa de penetrar el mundo de misterio y de angustia del espíritu humano. Se destaca el problema de la vida interior del hombre y este cobra tanta intensidad, que los otros elementos diferenciadores: asunto y ambiente, palidecen en un segundo o tercer plano. La atmósfera y el tono son generalmente los mismos: lirismo y subjetivación. Sin embargo, es necesario traspasar esa unidad concentradora para percibir, no solamente variantes en los asuntos, personajes y ambientes, sino también los tratamientos que esos elementos reciben. Esto permite, además, comprender con claridad la tarea creadora del escritor y relacionarla con las tendencias literarias de su tiempo.

Al destacar el elemento realista y criollista en algunas de las obras de Barrios, no pretendemos catalogarlas dentro del realismo o del criollismo. Lo psicológico subjetivista predomina en su creación literaria y lo aísla de las otras clasificaciones de tendencias literarias; más bien puede decirse que su obra es mixta, como asegura Arturo Torres Rioseco.[1] Novelas como *Tamarugal*, y *Un perdido* tienen un fondo ambiental tan cerca de la forma tradicional del realismo chileno y diferente, a la vez, del ambiente de novelas como *El hermano asno* y *El niño que enloqueció de amor* que obligan a considerarlas aparte, tomando como punto de partida este aspecto diferenciador. Lo mismo ocurre con la nota criollista de *Gran señor y rajadiablos*. Sin duda alguna, Barrios no tiene ningún propósito consciente de imitar la técnica realista, como tampoco pretende cultivar el americanismo.

La mayoría de sus contemporáneos acuden al realismo, al naturalismo y al criollismo como medios de abogar para reformas sociales o con el deseo de colocar al hombre americano en un nivel prepon-

---

1. Arturo Torres Rioseco, *Breve historia de la Literatura Chilena*, p. 79.

derante dentro del arte y de la cultura. Barrios, en cambio, no se interesa demasiado por la sociedad y sus problemas colectivos. Ve y siente al hombre y sus circunstancias en un sentido más amplio y general. Lo realista y lo criollista que aparece en sus obras le sale al paso, bien como resultado directo de su afán por interpretar al individuo que se mueve en determinado ambiente o bien como resultado de la exposición de una experiencia vivida.

La novela realista es una novela de cosas y efectos materiales; en ellos el ambiente se equipara al hombre e interfiere e influye en su conducta. El criollismo es una modalidad del realismo y se interesa esencialmente en perfilar la ideología del hombre americano en su paisaje y su naturaleza. La novela de Barrios busca el sentimiento, el espíritu del hombre desvinculado de las realidades materiales.

1. Un perdido

Esta novela es la biografía de un personaje literario: Luis Bernales. Revela principalmente los sentimientos del protagonista, las emociones y las manifestaciones de su sensibilidad. Los hechos materiales son un puro ambiente enmarcador. El asunto es, pues, la vida trágica de un joven, que por su timidez y temperamento sentimental, desarraigado enteramente de la realidad, incapaz de armonizar con su ambiente, llega a convertirse en un ente marginal —un perdido. El tema general de casi toda la obra de Barrios —el mundo interior del hombre en pugna con la realidad— reaparece aquí con variaciones en la caracterización del personaje, la presentación del ambiente y el desenlace del conflicto. La idea central en este libro es la timidez como resultado del desajuste entre una sensibilidad muy delicada y la realidad exterior. Se cumple con esta novela otra fase del amplio panorama sentimental de donde han aflorado los asuntos de sus relatos. Barrios se ocupa del conflicto de un niño de precocidad emocional en *El niño que enloqueció de amor;* del conflicto de un hombre maduro, intelectual y artista en *El hermano asno;* del conflicto de sentimentales venidos a menos en *Canción* y *Páginas de un pobre diablo.* En *Un perdido* ofrece el caso de un adolescente.

Nace Lucho tardíamente cuando ya el desamor empaña la vida matrimonial de sus padres. La escasa relación con su padre, un militar de vida disipada y espíritu plebeyo, no permite entre ellos el afecto y la comprensión familiar. Al efecto dice Barrios:

"Apenas si hubo entre ellos, durante años, algo más que el mutuo reconocimiento de la sangre, cuya fuerza los unía en las oscuridades del instinto." [2]

---

2. Eduardo Barrios, *Un perdido*, p. 18.

Sus abuelos maternos le rodean de ternura protectora y se cría el niño "blando y modosito, tímido con los extraños y tierno con los suyos". La sabia intuición de Papá Juan, el abuelo, comprende muy pronto la extremada sensibilidad del niño y lo defiende contra los que le llaman enclenque y apocado:

> "El mundo es de todos... y a cada cual le da lo que busca; a los espectadores, espectáculos; a los audaces conquistas; a los tiernos y concentrados, emoción y belleza." [3]

Pero a Lucho el mundo le parecía raro. Despierta en él la angustia, la curiosidad sentimental que le exigía "explicarse un poco a los hombres y sus actos". Siempre se convence de que nunca habrá simpatía entre él y aquellos seres de gestos e inclinaciones burdas, pues le resultan absurdos y aún temibles. Sentía que una fuerza lo repelía, lo arrinconaba, aislándolo dentro de sí mismo. Por esto se da a soñar, tornándose imaginativo, débil ante toda acción, y refugiándose por entero en la coraza de la timidez. "No alentaba nunca deseos de realizar algo: suponerlo érale suficiente" porque "hay un instinto que enseña a los tímidos que solo en sueños es todo perfecto, sin dolores ni fracasos." [4]

Vive siempre en el triunfo de los sueños anticipados, lo que será puro fracaso en la realidad. De niño, en una ocasión en que fue invitado a un baile de disfraces, construye y disfruta con la imaginación todo el acontecimiento:

> "Todo sería loco, alegre, delirante; vendrían deseos de lanzar las cosas por lo alto, por los aires, y de saltar uno mismo, hasta las nubes, hecho un disparate vivo que estalla de placer." [5]

En cambio, en plena fiesta, sintió miedo, huyó de todos y estuvo en viva angustia hasta que el abuelo vino a liberarlo de aquel suplicio. En vano trata Papá Juan de hacerle comprender el sentido valorativo del ajuste social:

> "Es bueno, hijo, ir dándose cuenta de que la vida tiene, además del sentido íntimo que le conoces dentro de tu corazón, un sentido social. Ya verás pronto que es menester descubrir el papel que a cada cual nos toca en ese conjunto." [6]

Pero Lucho solo vive atento a sus sentimientos, lejos de ellos se siente perseguido, aprisionado, perdido. Encerrado en sí mismo, la

---
3. *Ibid.*, p. 32.
4. *Ibid.*, p. 17.
5. *Ibid.*, p. 27.
6. *Ibid.*, p. 26.

imaginación urgida por un vehemente anhelo de superación, va torciendo poco a poco la realidad hasta colocarlo en un plano en que nada puede dolerle porque él es el héroe de su propia historia.

Los acontecimientos naturales que trae el decurso de la vida no sabe asimilarlos y convertirlos en experiencias constructivas y se le convierten en tragedias insalvables que le van precipitando en el caos. Mueren sus abuelos y la madre, y con ellos pierde todos los nexos de ternura y de felicidad.

Vive entonces en el campamento militar junto a su padre, coronel de guarnición de Iquique. Jamás pudieron padre e hijo romper la barrera de la timidez que los separaba. Lucho se entrega a la vida fácil, y busca en las rameras un apoyo de ternura para su espíritu débil. Los tímidos consideran el amor como una fortaleza inexpugnable para sus pobres fuerzas. Sólo el teniente Blanco se identifica con la angustia del muchacho y éste se entrega a él con la misma urgencia con que de niño se apoyaba en Papá Juan. Es el teniente Blanco quien le hace comprender que su padre es un tímido como él y le advierte que "los defectos que más eficazmente arrancan el prestigio del prójimo, los que le rebajan y empequeñecen y aún le hacen despreciables a nuestros ojos, son los defectos que nosotros mismos, y a sabiendas, tenemos".[7]

Ama a las prostitutas por la "limpieza de instinto, por la jugosidad del corazón" y se entrega particularmente a una, la Meche, quien le causa la "bella tristeza del primer descalabro amoroso".

A la muerte del padre hace, contra su inclinación, vida militar, pero su falta de voluntad y carácter le hacen fingir una esfermedad para escapar. Rueda entonces de derrota en derrota hasta la destrucción. Se frustran sus amores con Blanca, la hermosa prima rica, quien hubiera sido suya de haber sabido luchar por ella; pierde el contacto con los suyos; se sumerge en una pasión nefasta con una mujerzuela y finalmente se hunde en los más bajos fondos sociales. "La vida es un asco"; racionaliza siempre, y le acosa una gran tristeza angustiadora que se resuelve en tedio. De aquí, en adelante la meta ineludible y única es la muerte.

El centro de interés de toda la novela es la caracterización del mundo interior del protagonista. La acción y el desarrollo de la novela están encaminados a fijar los móviles extraños de su alma abúlica e hipersensible, siempre trabada en redes de timidez. No teoriza el autor sobre principios científicos: leyes de herencia e influencias del medioambiente, como causas directas de la conducta sicológica. Barrios conoce esas teorías y las toca ligeramente, pero llevándolas al plano de la conjetura y del escepticismo. Por ejemplo, le comenta Papá Juan a su hija Rosario en torno al carácter extraño de Lucho:

---

7. *Ibid.*, p. 71.

"Yo te aseguraría, Rosario, si fuese un pedante, que el estado de nuestro ánimo al procrear imprime su tono en el hijo. A Luchín lo has concebido... no diré que en la tristeza..., pero se puede bien decir que con la sensibilidad irritada. ¿Sería entonces una consecuencia extraña que saliera muy sensible? Además, es hijo de la madurez, de la edad de los desengaños: por esto pudiera nacer algo vencido su espíritu. ...cansado al menos. Hay niños viejos." [8]

El mundo exterior, el ambiente, tiene vigor realista, pero ocupa un segundo lugar en la novela. Es la vida urbana de Chile: las ciudades de Quillota, Iquique y Santiago. El mundo vivo y material de estas ciudades palpita en esta novela, pero en ningún momento tiene mayor interés que el conflicto sicológico planteado. Tampoco influye, ni es derrotero obligado en la vida de los seres. Otros, como Anselmo, el hermano de Luis, salen triunfantes y vencedores. El fracaso de Lucho en este medio, también podía ocurrir en cualquier otro. Todo es cuestión de carácter, de voluntad —ausentes en Lucho— en quien la vida cumple los resultados que impulsan fuerzas negativas interiores.

Cobran relieve las descripciones del paisaje de Iquique:

"Aquel caserío de madera, chata, color barro, desparramándose sobre la lonja de arena que se estrecha en el mar, las dunas y los montes yermos de la meseta salitrera." [9]

El puerto:

"...carretones repletos, peones sudorosos, jadeantes bestias, impasibles guardias de la policía marítima, empleados que corrían con pólizas de 'conocimientos', todo un hormigueo afiebrado, que gritaba, reía blasfemias y alzaba nubes de polvo y paja picada, bullía entre los bultos multiformes, las caderas rojas de azarcón, los barriles de brea y los fardos fétidos de humedad y podredumbre." [10]

Los burdeles de Iquique son una especie de clubes en donde los hombres que llegan solos del sur hacen vida sentimental y salvan con sus finezas a las prostitutas de llevar una vida de grosería inhumana. La bohemia de los artistas pobres y los tahures, igualmente cobra una fuerza realista llegando a veces al detallismo naturalista. Esto ha llevado a escritores como Manuel Galvés, a clasificar la novela dentro del realismo.[11] Pero esos retratos crudos y fuertes de la realidad responden mayormente a una intención de novedad que es muy propia de la literatura contemporánea.

En la caracterización de los personajes importa de manera par-

---
8. *Ibid.*, p. 16.
9. *Ibid.*, p. 56.
10. *Ibid.*, p. 74.
11. Manuel Galvés, Prólogo a *Un perdido*.

ticular los rasgos psicológicos. Apenas si recordamos la semblanza física de los personajes, pero se nos graban sus cualidades morales. Así recordamos a Papá Juan, de bondad vigorosa y gran sabiduría —retrato fiel del abuelo del autor—; Misia Gertrudis: diligente, afable, compañera ideal; Luis Bernales, el padre, de alma tímida escondida en la vida disipada y tosca del militar; el teniente Blanco, escéptico y cordial, que acude al disparate imaginativo para explicar su angustia metafísica: "Puede que Dios no sea sino un gigantón que actualmente fuma... porque se aburre, indiferente a todo"; Charito, la hermana humilde y abnegada, que acepta valientemente su papel de mujer pobre y poco agraciada; y Teresa, la hembra desenvuelta y egoísta. La fina penetración de Barrios capta las sutilezas del carácter humano y las reproduce con pinceladas firmes. Veamos un ejemplo: Al intentar Lucho un acercamiento afectuoso con su padre, éste le rechaza brutalmente. Completamente destruido, se encierra en su habitación, inactivo el pensamiento, y solo acierta repetirse una y otra vez: "Debe parpadear mucho el foco en el jardín."

En el marco ambiental se mueve el pueblo chileno: damas ricas, rateros, profesionales, mineros, militares, empleados, pintores, proxenetas, tahures, cómicos, criminales, teósofos, vagos y ladrones.

La estructura de la obra se desnivela por la falta de equilibrio entre la visión panorámica de la realidad y el fluir del relato. A pesar de que Barrios alterna hábilmente los recursos narrativos, el interés decae en partes. Acaso el libro es muy ambicioso y abarcador, diluyéndose demasiado el asunto en la extensión. Se reiteran demasiado las mismas situaciones. El protagonista es de una sola pieza, su carácter no evoluciona, y así se ve rodar el mismo conflicto en un espacio demasiado amplio. La escala de la novela no está, pues, técnicamente lograda, y el cuerpo de sentido de la misma queda disperso.

Eduardo Barrios utiliza un correlativo objetivo del estado anímico del protagonista: la noche, unas veces en luces oscilantes y otras en pura oscuridad en que el personaje se sumerge después de cada derrota. Unas veces busca en ella el pensamiento interior, la claridad a la que nunca llega:

> "El fluido luminoso del foco temblaba otra vez en el dormitorio obscuro; de lejos venía el grito gemebundo y aburrido de los centinelas que montaban la imaginaria del cuartel; y la mente de Luis, deprimida por la fatiga de tantas y tan fuertes sacudidas, se balanceaba en las tinieblas, siguiendo el mismo vaivén rendido de los alertas, la misma rutilación igual, viciosamente igual de los rayitos lívidos que se infiltraban en las rendijas." [12]

Otras veces, huyendo de los recuerdos familiares;

---

12. *Ibid.*, p. 69.

"...caminaba sin rumbo, en medio de la noche, bajo aquel cielo alto, claro, frío." [13]

Y llega lentamente a convertirse en el perdido viajero de la noche. Esta es la última noticia que se tiene de él:

"...sólo de tarde en tarde lo diviso, por la noche siempre, y en las cantinas distantes y menos corrompidas, bebiendo a solas, o metiéndose ya muy ebrio en un coche, o haciendo equis en la oscuridad de alguna acera solitaria." [14]

El tono general de la novela es de un hondo patetismo, conmiseración por estos seres desvalidos que huyen de la vida porque no la entienden y la temen, porque nacieron desarmados y no pueden hacer mejor destino.

### 2. TAMARUGAL — UNA LEJANA HISTORIA ENTRE DOS CUENTOS QUE LE PERTENECEN [15]

Un silencio de veintidós años siguió a la aparición de *El hermano asno*, obra que sentó la fama de novelista de Barrios dentro y fuera del continente. Acaso no había sentido la urgencia de reflejarse y esclarecerse por medio de sus obras, porque, según él mismo confiesa, "cada obra mía responde a una siembra que la vida realizó en mí",[16] y el novelista se da en sus frutos de arte. En su último libro, *Los hombres del hombre*, revela por medio del protagonista:

"Ha de haber por la tierra no pocos escritores como yo, que por muchos años no escriben y, de buenas a primeras, lo necesitan y lo hacen." [17]

Retirado de la vida pública, se había internado en la Cordillera y se había ocupado de tareas agrícolas por largos años. El contacto con la tierra le hace concebir dos novelas: *Tamarugal* (1944) y *Gran señor y rajadiablos* (1945), que representan otro enfoque en la creación novelística del autor. En ambas presenta seres destinados al triunfo, porque no son débiles sentimentales, porque tienen una gran dosis de sentido práctico, y antes que pesimista tienen una actitud de humor y de confianza frente a la vida.

Los dos cuentos que acompañan a *Tamarugal*, *Santo remedio*, al principio, y *Camanchaca*, al final, están tan trabajados a la novela en

---
13. *Ibid.*, p. 283.
14. *Ibid.*, p. 313.
15. Subtítulo de la obra.
16. Eduardo Barrios, *A manera de autosilueta*.
17. Eduardo Barrios, *Los hombres del hombre*, p. 28.

cuanto a asunto, personajes, tiempo y lugar, que, aunque tienen unidad en sí mismos, pueden considerarse como incidentes de la novela. El primero sirve para caracterizar uno de los protagonistas de la novela, el Hombre, y sirve además para introducir el ambiente, la árida región salitrera del norte. El asunto del cuento apoya su interés en el final sorpresivo. Consiste este final en el remedio bárbaro, pero eficaz que pone fin a los accidentes trágicos que ocurren a diario en las salitreras. El descuido de los mineros les hace perecer en accidentes en que agarrados por las piernas eran triturados por la máquina que muele el salitre. Jesús Morales, el Hombre, como le llaman por su carácter imponente, previsor despiadado, coloca un hacha en la máquina a la vista de los mineros. Ella es el santo remedio, por el efecto sicológico de aquella hacha "que gritaba su amenaza de caer sobre las piernas y hacía cuidadosos a los testarudos, por obra del espanto".[18]

El segundo cuento se destaca por su carácter poético y también descansa en un final sorpresivo. Carlos Pascal, uno de los listeros de la oficina, regresa de noche de visitar a su secreta amante. Lo envuelve la camanchaca, la niebla pampera de las salitreras, "una verdadera nube a ras del suelo, nube sin término, envolvente y cegadora, que empapa y transía". Lo sobrecoge el miedo, siente que le persiguen, cree que es puro contagio de los temores de su amante, pero evidentemente dos sombras le persiguen, se ocultan y reaparecen. Al disiparse la niebla descubre que son gotas de agua que resbalan de su sombrero. La camanchaca, espesa y líquida, ha proyectado sus sombras en la distancia.

El asunto de *Tamarugal* presenta la vida de una oficina salitrera en Chile a principios del siglo XX. El autor la subtitula, *Una lejana historia entre dos cuentos que le pertenecen*, porque, sin duda alguna, recoge recuerdos de su vida de empleado en una de esas oficinas durante sus años de trotamundos. La acción transcurre en un verano y se desarrolla en Tamarugal, nombre ficticio con que se encubre una oficina salitrera localizada en las inmediaciones de Huara, pueblo de la provincia de Tarapacá.

El tema central es el triunfo del sentido práctico y la reflexión sobre la pasión y los sentimientos. No obstante, el marco ambiental de la obra tiene bastante relieve para plantear otro tema: el espíritu de sacrificio y resignación de los seres que luchan por adaptarse a un ambiente inhóspito, de arduos trabajos y de faenas que le exponen constantemente a la muerte. Barrios descuida este segundo tema que le hubiese dado más vigor y carácter a la obra, deslinda el centro de interés hacia los protagonistas y su conflicto sentimental y se olvida de la Tamarugal.

---

18. Eduardo Barrios, *Tamarugal*, p. 19.

Estas oficinas salitreras eran propiedades privadas de accionistas ingleses. Pequeñas aldeas de casas en forma de cajones cubiertas con planchas de calamina, pero que hacían vida de pueblos. Todos los habitantes habían venido de lejos movidos por la ambición del dinero y comparten todos los contratiempos propios de las circunstancias: accidentes, vendavales, temblores, incendios y suicidios. Todo el valor de la novela reside en lo novedoso de esta vida comunal entre seres de diversos tipos y caracteres, hermanados por el rigor de la faena ingrata y las corrientes alegrías de la convivencia.

La trama es muy sencilla, demasiado corriente para cobrar relieve. La lectura se sostiene principalmente por el interés en la peripecia humana de toda la comunidad y no por el relato del idilio sentimental entre los protagonistas.

Jenny había sido transplantada desde un liceo en Iquique a la Tamarugal, donde trabaja su padre. Su gran sentido práctico logra que la vida cotidiana convierta en imágenes cada vez más vagas sus años de niña de la ciudad:

"La mudanza —¡cuán difícil resultaba comprenderlo!— distanció en el tiempo todos los años de la ciudad con la misma rapidez con que el ferrocarril separó en el espacio al puerto y la oficina salitrera." [19]

Pero en la monotonía grata de la pampa, su juventud esperaba "alguna fuerza imperativa que le incendiase los impulsos de vivir". El administrador —el Hombre— como le apodan por su franqueza, su "falta de savia sentimental" y su dureza, la pide en matrimonio. No la amaba, sin embargo; el Hombre no quiere cariños esclavizadores, pero piensa que a sus cuarenta años, una esposa daría prestigio social a la oficina. Ella lo acepta por su sentido práctico y porque su vanidad femenina se siente halagada, pero dentro de su corazón bulle la emoción "de un futuro que se despide sin haber llegado".

Javier del Campo, joven seminarista santiaguino, es un personaje de puros contrastes con el Hombre. Soñador, sensible y de una vehemente fe religiosa, se identifica con Jenny, y más tarde surge un silencioso idilio entre ellos. La pasión se acentúa con las constantes visitas de Javier, que pasa sus vacaciones en casa de un tío suyo, el cura de Huara. Ambos son demasiado sensatos para atender a la pura emoción; él se aferra a su vocación religiosa y ella logra armonizar la razón con sus sentimientos. Jenny decide casarse con el Hombre y guardar a Javier en la fidelidad del silencio. Y racionaliza satisfecha:

"Cuanta mujer amaba así, recluida en sí misma, cumpliendo todos sus deberes de lealtad y honor, pero viviendo una existencia entera mecida sobre la onda de amor que brotó una vez sin remedio." [20]

---

19. *Ibid.*, p. 25.
20. *Ibid.*, p. 185.

La estructura de la novela se realiza decorosamente. Se aligera la trama utilizando recursos dramáticos como la presentación de toda una escena exterior resumida en breves comentarios de personajes que observan. El diálogo sirve para adelantar la acción y exponer muchos acontecimientos en la forma rápida y natural de la conversación. Se exponen los antecedentes filtrándolos esporádicamente, bien en forma de evocaciones fugaces o en ligeros comentarios entre los personajes. El diálogo tiene, además, la forma recortada y sintética del teatro que moviliza el "tempo" de la novela. Sin embargo, el final no guarda proporción, en vigor e interés, con el resto de la novela. Ese final es a manera de un epílogo en donde se informa lo ocurrido después de cuarenta años. Jenny es una viuda acaudalada con tres hijos: un médico, un ingeniero y un abogado, y Javier es un ilustre prelado que le sirve de consejero espiritual. Se ve un parecido entre esta novela y *Pepita Jiménez* de Valera, aunque aquí Barrios resuelve las cosas de diferente manera. Este final debilita la novela porque fija toda la atención en esa particular incidencia amorosa, palideciendo por completo el gran asunto de la vivencia del hombre americano en el ambiente que le es particular, en este caso, la lucha del minero chileno en las salitreras del norte.

Los protagonistas son personajes de un solo plano, pero caracterizados eficazmente. Los demás son retratos de tipos que Barrios conoció personalmente. La presentación de Jenny la hace especulando en torno al nombre y su personalidad:

> "Físicamente, acaso no le sentara mucho el diminutivo exótico. Si bien tenía muy verdes los ojos, se abrían en cambio demasiado anchos y se adormilaban al sesgo de un recargo de pestañas obscuras. Su tez aproximábase más bien al moreno que al blanco. Emanaba un caliente fluido criollo de sus turgencias. Y toda su figurilla, encimada por aquella revoltura de rizos negrísimos, en nada conseguirían evocar jamás el tipo anglosajón." [21]

De carácter afable, dispuesto, como buena planta a medrar en cualquier terreno, desliza su vida entre la ternura de su padre y "algunas curiosidades levantadas por el ambiente novedoso".

Jesús Morales, se caracteriza por su automatismo y escasos valores sentimentales. Los deberes de la administración de la oficina consumen totalmente su inteligencia y su hombría.

Barrios lo describe así:

> "Si Jesús Nazareno fue el hijo del Hombre; éste era el Hombre mismo, en crudo y desnudo sin la más remota luz de la divinidad, sino terreno, despierto, simple y cabal." [22]

---

21. *Ibid.*, p. 26.
22. *Ibid.*, p. 10.

En él se enseñorea la fuerza material que no permite al más leve retazo sentimental. Sin querencias familiares, nunca se supo su origen. Su fuerte humanidad afirmada en la tierra, encarna la consumación del éxito. Es Jesús Morales "vencedor a dodo trance, inteligente de las cosas y de los hombres, del dinero y de la técnica". Este personaje, amasado en otro arcilla, nos sorprende en Barrios, el creador de seres débiles y sentimentales. Es anuncio de José Pedro Valverde, el "gran señor y rajadiablos", protagonista de una novela posterior.

Los otros personajes se destacan menos. Apenas alcanzan el papel de personajes secundarios y se dispersan por la novela en carácter de tipos que le dan ambientación a la obra. Los obreros que deambulan por el relato apenas si se diferencian entre bolivianos de ojos oblicuos y cara lampiña, y los chilotes, muy indios al mantenerse separados, parcos en el comer y amantes de la lectura. Todos representan al trabajador afanoso que todavía no está maleado por el odio de clases, distante todavía, de los patronatos obreros que hacen crisis en nuestros días. Forman una comunidad en armonía, con algo arcádico, como lo demuestran sus tertulias en casa del administrador. Allí "los obreros, por parejas, hombres con hombres, ensayaban valses, mazurcas, bailes agarrados, al compás de sus burdos zapatones y al son del acordeón".

El paisaje se entrevé fugazmente, pero siempre en estilización poética. El cielo pampino siempre alto, "de un añil cándido como la pupila de una niña", se ofrece opulento en constelaciones. La salitrera es seca: el invierno sin lluvias; sólo la niebla líquida y espesa —la camanchaca— y el verano que sofoca con sus ventiscas levantando los arenales.

*Tamarugal* es la obra que sigue más de cerca la tradición realista, y, como afirma Donald Fogelquist, "el escenario, la árida región salitrera del norte de Chile, algunos episodios, tragedias en la vida del minero, y alguno que otro personaje, obreros y empleados de la compañía minera, recuerdan el realismo de Baldomero Lillo, o Manuel Rojas".[23] Tiene escenas que por su crudeza lindan con el naturalismo, como el episodio del "chanchero" que murió triturado por las enormes mandíbulas de la máquina, y el del obrero preso bajo una enorme piedra. Pero, sobre todo, los suicidios resaltan por su violencia. Véase el caso del mecánico que coloca la cabeza bajo el martinete hidráulico:

"La masa cayó sobre aquel cráneo, sin dejar de él otro vestigio que unas repugnantes chorreaduras en el contorno de la mesa-yunque y un cuerpo convulso encima de un lago de sangre."[24]

---
23. Donald Fogelquist, *Op. cit.*, p. 14.
24. Eduardo Barrios, *Op. cit.*, p. 128.

Otro elige la dinamita:

> "Usó el procedimiento ya clásico en las salitreras: introducirse medio cartucho con su fulminante dentro de la boca, prender la guía como se prende un cigarro, y volarse la cabeza." [25]

Sin tener ambiciones de gran novela, *Tamarugal* tiene un valor permanente al ofrecernos un excelente retrato de la vida en las salitreras chilenas a principios del siglo XX.

### 3. Gran señor y rajadiablos

Es este el relato épico de una época chilena representada por un hombre: José Pedro Valverde. Encarna este personaje una generación de hombres que a fines del siglo XIX dieron un tono particular al desarrollo de la historia de su país. En él se reúne todo lo distintivo de esa época agitada de individualismo heroico, en que unos hombres fuertes, feroces en su amor patrio, teñidos de la vieja arrogancia del colonizador, medio caciques, medio redentores, abrieron por la fuerza y la astucia el camino para la uniformidad política moderna.

El asunto es una evocación, en cinco tiempos, de la vida de José Pedro Valverde, cuyo destino se identifica con el del viejo Chile del siglo XIX. Es el momento en que la inutilidad de los gobernantes y la corrupción de la justicia propiciaban los desórdenes de malhechores y bandidos, especialmente en las zonas rurales, en que se levantan estos caudillos rurales de patrimonio agrícola, que imponen respeto por sus propias manos. Estos caciques poco a poco, con rigor y temple, van creando un ambiente favorable para el establecimiento de un poder centralizador y de una patria segura. Pero, una vez logrado el orden, el nuevo sistema tiene que repudiar esta casta de caciques que no quiere someterse a la autoridad gubernamental establecida.

El alma de José Pedro Valverde se forjó en esta consigna: el amor a la tierra. Entendía que labrarla y defenderla era incorporarla a la civilización. Aquel tío cura bravucón e individualista, le infiltró desde niño que:

> "Nosotros los hombres de ñeque, estamos haciendo a Chile." [26]

El autor evoca la figura vigorosa de Valverde, desmadejando los recuerdos que tiene de este hombre; recuerdos que sin duda ha fa-

---

25. *Ibid.*
26. Eduador Barrios, *Gran señor y rajadiablos*, p. 66.

bricado apoyándose en la historia de esa época. Acaso conoció alguno de estos caciques en sus años de infancia. En la breve introducción que hace al libro dice que quiere evadir toda fantasía recreadora y engañosa y al mismo tiempo evitar que la pura biografía o la historia debiliten el esplendor vivo que él desea en su relato.

> "...vuelvan los acontecimientos vivificados por la imaginación, pero estrictamente ciertos, sin adorno mentiroso, que la mentira es la superficie y la verdad tan honda que la fantasía la alumbra y se torna en su fuerza esplendente." [27]

Desde esta introducción, Barrios empieza a darle fuerza vital a su personaje.

> "Todavía se halla presente su cadáver. En el aire, en las cosas, en las almas y en las flores. En las flores particularmente; desde que lo pusimos en la urna y lo cubrimos con ellas, diríase que han dejado en todas las demás, aún en las que abrieron sin alcanzarle a ver, olor a coronas de túmulos." [28]

La estirpe del héroe de la novela desciende de aquel Vicente Valverde que participó junto a Pizarro en la conquista del Cuzco y a quien, en España, otros Valverdes, monteros del rey Carlos V, le legaron un escudo: "seis galgos atigrados tendidos en carrera sobre un campo sinople". Y todavía el orgullo de casta se mantiene en tenacidad y valentía en José Pedro Valverde y bulle en él el espíritu indomable de sus antepasados del siglo XVI.

Al calor de tierra adentro se forma el huaso José Pedro y en la libertad del campo abierto aprende que el camino ancho y seguro sólo pueden abrirlo los fuertes de brazo y de conciencia. Criado entre hombres —un padre dulce y pacífico y un tío cura a quien no estorba la sotana para imponer su arrojo y valentía. Del primero aprende a amar la tierra sentimentalmente; del otro, a defenderla con uñas y dientes. Este es quien le siembra voluntad adentro el viejo lema de sus antepasados: "Entremos pegando para que no nos peguen." [29] Y José Pedro siempre pega primero para desarmar al contrario. Ensancha sus fundos en cultivos, ganados y servidumbre. Es el gran señor, feudal en su arrogancia y jerarquía, democrático en compartir con los suyos las penas y las alegrías de la faena. De potente vitalidad "de arma cargada siempre", doma caballos, abre colinas para el riego, persigue foragidos, siembra árboles y procrea hijos en las mozas que le temen y le aman. Así, a manera de colonizador, riega su sangre vigorosa y fecunda en un nuevo mestizaje. Conoce todas las fae-

---

27. *Ibid.*, p. 11.
28. *Ibid.*, p. 10.
29. *Ibid.*, p. 130.

nas de la tierra y participa en ellas con sus hombres en franca camaradería. De franqueza abierta, se impone siempre y no se somete a otra autoridad que la suya. Esto repite siempre en relación con su carácter: "Si me pasan la mano contra el pelo, el diablo se me mete en el cuerpo." Degenera a veces en fanfarronería, que si ofende, sorprende mucho más al ofendido la desmedida generosidad con que subsana la ofensa. Y sorprende mucho más en su carácter de "señor del trueno" y "Polvorita", como lo llama su mujer, su contumaz defensa del sentimiento sobre la razón:

"Mentira. Esos cerebrales logran reflexionar a lo sumo algunas caras de la existencia humana. He leído algunos libros de pensadores a la moda. ¡Caramba! Nunca se asoman siquiera esos señores a la entraña escondida y misteriosa donde sentimos el yo y que se me figura el hálito de la divinidad dentro de nosotros." [30]

Cinco amores tuvo —dos en vínculo de sangre, su padre y su tío; y dos mujeres que fueron sus esposas— porque se casó "fiel, decente, de acuerdo con su prosapia, su palabra de honor y su religión". El quinto amor fue su tierra y es para ella su último pensamiento:

"Si tú plantas otra viña, hijo, hazlo en 'El Fiel'. Es tierra inmejorable para la viña." [31]

El padre fue víctima de malhechores mientras defendía sus tierras y José Pedro se propuso limpiar aquella tierra de foragidos. Organiza una escuadrilla de mocetones, bravos y arrojados como él. Huasos diestros en el manejo del lazo, sólo les bastó aprender el manejo de los rifles, para convertirse en una policía rural que se tomaba la justicia a su modo.

Con su tío cura José María Valverde se iguala en carácter y ambición. Ambos se quieren y se respetan, se conocen demasiado para no guardar la justa distancia que exige la prudencia. De él aprendió el goce de la lectura y a no esperar nada no logrado por esfuerzo propio.

Chepita y Marisabel son sus dos amores legítimos. Son hijas de una parienta lejana de José Pedro a quien el Cura Valverde rechaza por considerarlas de calidad espiritual inferior. La oposición violenta del tío no evitó que José Pedro se casara con ambas hermanas. Huye del fundo y se lleva a Chepita a la costa donde se casan a escondidas, y antes del año, ella muere de parto. Chepita es apenas una silueta en sombra. Aparece en sus recuerdos de noche y de dolor; esos re-

---

30. *Ibid.*, ps. 284-285.
31. *Ibid.*, p. 347.

cuerdos "que el ser entero se niega a recibirlos y les niega la puerta del presente". Es un amor neblinoso, "guardado por las grises cataratas del cielo". La lluvia es un correlativo objetivo de este amor que empieza en el invierno y acaba con la muerte al llegar la primavera:

> "Cuando el cortejo se puso en marcha, cientos de gaviotas aparecieron volando por el cielo." [32]

El amor de Chepita, nacido en la contradicción, muestra por un lado la obstinación de su carácter, y por otro la fineza de sus sentimientos. Había aprendido a conseguir a todo trance todo lo que deseaba —"primero anhela el corazón, le enseñó el tío, y luego se esfuerza uno en alcanzarlo"—. La escena de la muerte de Chepita en la soledad de la costa es conmovedora:

> "...la sentó sobre sus muslos fuertes. Entonces desató en él un acceso de ternura violenta: abrazado al cuerpo exánime, hundió el rostro en el regazo de la criatura y lloró. Fue un llanto sordo, ronco, desgarrador, con algo de rugido de animal y algo de la debilidad y el desamparo del huérfano." [33]

Marisabel, su segunda esposa, fue su amor feliz. En ella tuvo un hijo ilegítimo primero, y luego otras hijas que completaron el cuadro respetable de su hogar ya en sus años maduros. Los celos de Marisabel no pudieron nunca contener al tenorio que siempre llevaba en su sangre. Pero con ella le alcanza la vejez y la muerte. La escena final con ella, antes de morir, define sus sentimientos:

> "—Mi viejo, ¿lloras? ¿Tú lloras?
> —Lloro. Porque no sé decirte ternezas, las ternezas que a ti desearía decirte. Me crié sin madre, qué quieres, y no aprendí esas cosas. Lo más tierno que logré decir fue Caballo Pájaro. ¡Figúrate!
> —Pues dímelo —le contesta ella entre sollozos. Y a él siguió fluyéndole mudo el llanto sobre las barbas." [34]

Tres símbolos ayudan a caracterizar a José Pedro Valverde. El primero se asocia con los primeros años de su infancia. Su encuentro con una ilustración de Pegaso que adornaba la portada de un tomo de poemas de Ovidio. ¡Un caballo pájaro! exclamó asombrado el niño y el tío cura le llamó siempre así desde entonces: *Caballo Pájaro*. Y este fue su grito de alegría y de entusiasmo por el resto de su vida. En él se unían la fuerza bruta, la osadía, el instinto salvaje, pero también la ternura y una fina armonía interior entre su alma y el paisaje:

---
32. *Ibid.*, p. 112.
33. *Ibid.*, p. 110.
34. *Ibid.*, p. 346.

> "Cierta revolución llevaba su alma. Dolor, intrepidez, locura, temple..., y poesía, también sí..., algo unido en humana mixtura iba en su pecho..." [35]

El segundo símbolo se apoya en una leyenda que relata un peón:

> "Había un toro, años ha, en estos contornos. Un toro solitario, de nadie. El mesmo era su dueño. Gordo, enorme, colorado y... con los cachos de oro..." [36]

El toro desaparece de acuerdo con la leyenda y desde entonces se lamentan los huasos de esa pérdida porque "con él teníamos los pobres harta crianza. Era muy seguro... ¡Y daba unas crías!" La esplendente figura de José Pedro, de barba rubia y ojos verdosos se identifica con este toro mítico que dejaba limaduras de oro regadas por el campo al rascarse los cachos en las piedras. Ambos representan una fuerza vital del pasado que hoy ha adquirido la añoranza nostálgica de la leyenda.

Un palomo buchón que se pasea con donaire por las vigas del corredor, amo y señor entre sus palomas, es el tercer símbolo:

> "Y todo un gentilhombre. Cubierto por su capa recamada de tornasoles y reflejos, echado atrás, con el pecho abultado —golilla sobre jubón— y con su birrete de pluma en la cabeza, camina con donaire. La cola le alza por detrás la capa, como una espada. Y anda encima de la viga con pasitos cruzados, con garbo y galantería, rondando a su dama, entre venias y arrullos que se dirían piropos. Tiene las patitas rojas y risadas de plumillas como cintas. A la señora recuérdale su José Pedro; si no por el lujo, al menos por lo fuerte y galante, por lo cortés y violento, por lo amoroso y terrible." [37]

Esa descripción puede compararse con José Pedro vestido de huaso:

> "Vestido con todo el embeleco de la rica juventud campesina: sus mantas agotaban el surtido de colores, tramas y floreos; a los lujos del apero, el temple de las espuelas —con rodajas enormes— sumaba esa música que prolonga en el aire los pasos y por su timbre diferenciado con esmero, deja estela personal... Así, pues, aun las tiernas criaturas que se azoraban en su presencia y se cobijaban como pollitas bajo el ala de la clueca, sentían emoción al verle." [38]

Hay un paralelismo entre el viñedo que levanta, empresa en la que puso la mayor ilusión, y su propia vida. Su último esfuerzo de hombre

---

35. *Ibid.*, p. 53.
36. *Ibid.*, p. 35.
37. *Ibid.*, p. 220.
38. *Ibid.*, p. 55.

ya viejo es defenderse a balazos contra los carabineros que envía el gobierno a sellarle su alambique. Prefiere arrancar la viña antes que ceder a la autoridad, y desde aquel día empieza a morirse. Aun a la hora de su muerte hace su propia voluntad. "Hoy me voy a morir." Hace avisar a sus familiares y pide el confesor. Le disuaden de tal ocurrencia, pero el viejo Valverde grita con impaciencia: "Basta, yo me muero cuando me da la gana."

En algunos atisbos poéticos del paisaje, esta novela recuerda a *Don Segundo sombra:*

> "Como el crepúsculo ha empezado a envolver ya en su misterio todas las cosas, ellos no piensan desmontar. Permanecen un rato mudos. Los ha ido cogiendo el encanto de las malvas que suavizan el tronar de las aguas; y tras el encantamiento despuntan ya las tentaciones de atravesar el torrente." [39]

Hay también momentos de identificación con el paisaje, en que la prosa alcanza gran poesía:

> "...La embarga tanto añil del paisaje. Están azules los cielos y los espejos de los charcos, los pinos y los cristales de la casa, y aun allá, sobre las praderas mojadas, hasta nítidas lejanías, el azul barniza todo verde y penetra los humos tenues que suben de los ranchos. Azul canta la flauta del paisaje, azules llegan los gritos de las niñas desde el interior. Si hablase ahora ella, también azul sonaría su voz. Azules se vuelven sus pensamientos. Su alma toda se tiñe de azul. Y cuando la campana llamando a misa la despierta, le parece que se desparraman los sones por el aire cual si se desgranase un rosario de cuentas azules." [40]

La evocación del personaje, José Pedro Valverde, también hace pensar en la novela de Güiraldes:

> "Allí está, pues, quieto y fantasmal, emboscado bajo el árbol añoso. El poncho de vicuña cae desde sus hombros fuertes, a todo lo largo de su talla empinada sobre los tacones huasos. Veo el destello de sus ojos claros, que pone reflejos en la barba rubia, recortada en punta." [41]

El chilenismo en esta novela sólo se reduce a glorificar esta figura que Barrios identifica con el "viejo Chile", pero ni la naturaleza, ni el paisaje tienen el verdadero lugar que ocupa en la novela netamente criolla. Tampoco importan los problemas económicos y sociales del Chile de esa época. En ésta, como en todas las novelas de Ba-

---

39. *Ibid.,* p. 45.
40. *Ibid.,* p. 222.
41. *Ibid.,* p. 9.

rrios, sólo interesa la recreación subjetiva de la personalidad del protagonista. No estamos de acuerdo con la opinión de Donald Fogelquist sobre lo que él considera la exageración del personaje Valverde.[42] El tono épico, evocador, de todo el relato exige esos acentuados relieves que conforman la figura que se evoca. Nada pequeño o convencional puede movernos a la evocación. Además, cuando el sujeto evocado supone identificación con un momento de la historia, exige la ponderación y la lucidez.

Esta es la novela de Eduardo Barrios que más ambiente espacial ocupa. Sin embargo, ese ambiente no se destaca. Unas veces desfila en ligeras estampas de costumbres de la época; otras, en descripciones de faenas; y las más de las veces, en ligeros pincelazos poéticos del paisaje; pero siempre subordinado a la intención de dar relieve a la personalidad del individuo. Es interesante, además, la manera como se utiliza el ambiente para señalar caracteres particulares del estado anímico del personaje, como por ejemplo, su actitud frente a las gentes, ante las costumbres, ante las faenas y, sobre todo, ante la tierra y el paisaje.

La idea central de la novela es que los forjadores de la patria chilena fueron estos hombres herederos del coraje y la voluntad de los conquistadores y en quienes conviven en armonía y contraste la cultura europea y la cultura típicamente americana. Para desarrollar este tema se evoca la figura de uno de ellos: gran señor, de voluntad y arrojo y "rajadiablos" por su simpatía arrogante y guasona que personifica el Chile rural de fines de siglo XIX. Barrios ha trabajado el personaje con simpatía como lo revelan estas palabras:

> "Son estos tipos los que nos hacen falta, los que nos dejaron felizmente sembrados por aquí y por allá los conquistadores, y que luchan a vencer o a morir, incansables, a veces crueles, pero crueles consigo mismos también, y van creando, de espaldas a la política, entre delirios, barrabasadas y porfías, un futuro fuerte y rico para Chile."[43]

Son los hombres de un pasado que el Chile moderno fue relegando al olvido. El gobierno democrático centralizado tenía que desentenderse de los viejos caciques. Todavía en vida de Valverde los periódicos censuran sus arrebatos de tirano y él defiende la posición que representa de esta manera

> "...me dicen señor feudal, tirano de horca y cuchillo. ¿Qué saben esos mocosos y babosos de lo que Chile ha exigido de nosotros los que lo pusimos en orden? ¿Cómo habría arreado a los bandidos en

---

42. Donald Fogelquist, *Eduardo Barrios en su etapa actual*. Rev. Ib. Am., Vol. XVIII, Feb.-Sept., 1953, p. 17.
43. Eduardo Barrios, *Op. cit.*, p. .

otra forma? ¿Cómo habría creado en estas peonadas, con tendencias al pillaje todas, hábitos de trabajo y honradez? Ahora debería yo poder hacer lo mismo con esos facinerosos de la administración pública." [44]

Estas tres novelas son una muestra del carácter mixto de la obra de Barrios, señalado por Arturo Torres Rioseco. Revelan que el autor está consciente de las tendencias novelísticas de su tiempo y sin salirse de su particular interés en la concepción de la novela —conflicto y vida interior del ser humano— ensaya la novela realista y la novela criollista. Ninguna de estas tres novelas alcanza la magnitud de sus novelas de vida interior, entre las cuales *El hermano asno* es su obra más perfecta; pero son novelas plenamente logradas en las que el novelista demuestra su dominio de las técnicas narrativas, caracterización de personajes y manejo del lenguaje en la creación del mundo novelístico.

En *Un perdido* el autor maneja hábilmente los dos elementos que en contrapunto avanzan a través de toda la obra: el mundo íntimo del espíritu y la realidad exterior. De igual manera, *Gran señor y rajadiablos* recoge un ambiente histórico, una época, y la identifica con la personalidad del protagonista. En ambas se le da principal atención al personaje y su mundo anímico, relegándose la realidad material exterior a un segundo plano. No obstante las dos novelas tienen sentidos opuestos. Si *Un perdido* es la historia de una vida frustrada y un tono de gran pesimismo permea por la obra, en *Gran señor y rajadiablos* se evoca una vida triunfante de gran significación en el devenir de la historia chilena. A Lucho Bernales le aniquilan las circunstancias mientras que a José Pedro Valverde, especie de héroe nacido para el triunfo, le abren camino para el desarrollo pleno de su personalidad. Mientras en *Un perdido*, además, se presenta a la ciudad como una fuerza aniquiladora de los seres hipersensibles, *Gran señor y rajadiablos* da la visión entusiasta y vigorosa de la vida campesina.

---

44. *Ibid.*, p. 334.

## V. EL SUPRARREALISMO Y "LOS HOMBRES DEL HOMBRE"

### 1. El suprarrealismo

Desde fines del siglo XIX surge una nueva tendencia a revisar la valorización tradicional del mundo y de la realidad. La visión convencional del universo regida por la razón y la lógica, ya no satisface al hombre y éste siente la necesidad de encontrar otros derroteros que le lleven al conocimiento pleno de la realidad y donde pueda sentirse en armonía con el universo. Los seres superdotados —artistas e intelectuales— son quienes buscan más tesoneramente esas nuevas perspectivas de conocimiento. Estas nuevas tendencias empiezan a perfilarse desde el siglo XIX y van cobrando forma definitiva y plenitud en el primer tercio del siglo XX.

Los Simbolistas —Baudelaire, Rimbaud, Mallarmé— son de los primeros que buscan una realidad superior en donde haya armonía y correspondencia entre el hombre, los seres y las cosas todas del universo. Más tarde, a principios del siglo XX, después de la primera guerra mundial, aparece un segundo movimiento que tiende a dislocar el orden sistemático y convencional del universo para luego reconstruirlo en un nuevo y arbitrario plan. Unos acuden a las abstracciones geométricas, reduciendo la realidad a un mínimo de objetividad: el cubismo de Pablo Picasso, Max Jacob y Pierre Reverdy. Posteriormente, otros, menos conformes, se revelan violentamente contra todo lo establecido, especialmente lo ya consagrado, y aspiran a la creación de algo que no tenga relación alguna con lo ya conocido llegando a veces al absurdo y al disparate —el dadaísmo de Tristan Tzara y André Breton. Finalmente surge el suprarrealismo influido por los anteriores.[1] Este se sostiene de una fe absoluta en el poder del subconsciente como medio para llegar a la verdad absoluta y rechaza la inteligencia, el pensamiento consciente y la lógica porque considera que son medios insatisfactorios para llegar a la verdad y, además, no logran dar los hechos intangibles de la realidad. Se intenta llegar en el suprarrealismo a la fuente desnuda del ser —el sub-

---

1. George Lemaitre, *From Cubism to Surrealism in French Literature*, páginas 19-49.

consciente— porque se supone que allí se logra la verdadera armonía del hombre con el cosmos. Además de suprarrealismo, este movimiento se ha llamado también superrealismo [2] y surrealismo y sus propulsores son: Guillaume Apollinaire, André Breton, Louis Aragón, Paul Eluard y otros.

Estas nuevas concepciones del mundo y de la realidad son una reacción contra el realismo y el positivismo materialista de la época, y se apoyaron en varias corrientes filosóficas y científicas que aparecieron a fines del siglo XIX. En el campo de la filosofía, Bergson establece que una gran cantidad de la realidad permanece desconocida para la mente consciente. La inteligencia humana puede elegir y retener del gran todo sólo aquello que le es imprescindible para determinar sus móviles de conducta. Solamente la intuición puede participar de la gran totalidad de la realidad.

Otras teorías científicas surgidas después de la primera guerra mundial acaban por destruir la poca confianza que quedaba en el valor de la lógica y la razón. Entre otras, la teoría de la relatividad de Albert Einstein que destruye el poder de la evidencia y el sentido común como medios para probar la verdad. Anteriormente, y a fines del siglo XIX aparecen las nuevas ideas sobre la sicología humana difundidas por Freud que establecen que la verdad íntima del hombre reside en su subconsciente —zona no controlada de la conciencia humana. De esta última surgen los métodos del sicoanálisis y el autoanálisis, recursos que también utilizan los suprarrealistas para llegar al conocimiento íntimo. Se aprovechan también las teorías freudianas sobre la importancia de la líbido como factor determinante en el carácter y en la personalidad del individuo.

Todas estas nuevas teorías científicas influyen en los artistas y escritores quienes lentamente fueron creando esas nuevas formas estéticas antes mencionadas. Es particularmente en Francia donde se originan estos movimientos llamados de "vanguardia", aunque en ellos también intervinieron personas de diferentes nacionalidades. De todos estos "ismos", como les ha llamado Gómez de la Serna, el de más importancia es el suprarrealismo que logra imponerse con mayor fuerza y tiene mayor acogida que los otros.

El suprarrealismo se propone la manifestación de lo subconsciente. Aprovecha la teoría de Baudelaire, Mallarmé y Rimbaud sobre el poder extraordinario de la palabra, no por su sentido usual sino por la "fuerza de sugestión poética e inconsciente que reside en la textura de sus sílabas".[3] Para lograr esa fuerza maravillosa de la palabra el escritor tiene que rehusar todo esfuerzo mental y permitir que fluya la voz de la subconciencia —"la voix surrealiste", como le llama

---

2. *Diccionario de la literatura española*, Rev. de Occidente, ps. 680-681.
3. *Ibid.*, p. 204.

Mallarmé. Las primeras obras de los escritores suprarrealistas son, por lo tanto, simples "dictados automáticos" que carecen de elaboración artística, y además, adolecen de tal desorden que hace muy difícil, si no imposible, captar su sentido. Más adelante, se permite al autor escoger conscientemente un centro de interés que posea verdadera resonancia síquica, sobre el cual deberá mantener su atención para evitar las divagaciones. Esta es una pequeña alteración de procedimiento y no desmerece en forma alguna el valor de la materia extraída del subconsciente. Se aprovechan el sueño, el estado de duermevela, el delirio y, aun la vigilia, cuando no está controlada por la razón, como estados en donde pueden lograrse esos "centros de interés" los cuales permiten llegar a las extrañas profundidades de la verdad interior. Los estados de angustia y desesperación pueden servir para flanquear las barreras del mundo "real" y convencional y llegar al ámbito suprarreal. El suprarrealismo postula también el uso no controlado de la imaginación. Supone que al liberarse la imaginación de todo control, se logra fundir la verdad exterior con la interior; porque, en la reflexión ondulante de las mil imágenes combinadas, se puede percibir la perspectiva de lo supranatural, el cual expresa en sí mismo, la esencia del universo.[4]

El suprarrealismo, según opinión de Ramón Gómez de la Serna, llega a convertirse en "el fenómeno más curioso de la literatura actual". Lo que en sus inicios comenzó como un "automatismo psíquico puro en función del cual uno se propone expresar el funcionamiento real del pensamiento",[5] según definición de André Breton, alcanza andando el tiempo obras de verdadero relieve. Contrario al juicio de Guillermo de Torre, que consideraba que "si la lírica se precipitase por ese desfiladero (el suprarrealismo), quedaría reducida no ya sólo a una música de ritmos, de palabras, de imágenes, como antes, sino a una armonía ilógica de sueños descabalados...", ha habido notables muestras de poesía suprarrealista en la lírica española contemporánea.

En el campo de la novela esta corriente estética ha de tener también resonancia como la tuvo primero en la poesía. El ansia de evasión de todo lo "estúpidamente burgués" y convencional y de hundirse en el mundo íntimo donde reside la verdad, porque "lo real es lo real interior", es también la fuerza propulsora de la novela contemporánea de afiliación suprarrealista. Señala Gómez de la Serna que el deber principal de la novela es "compensar a la vida de lo que no sucede debiendo suceder".[6] El suprarrealismo incorpora a la novela ese elemento de extrañeza, de lo inesperado, que nos crea un mundo distinto donde no rigen las convenciones y los principios de

---
4. *Diccionario de la literatura española*, Rev. de Occidente, ps. 680-681.
5. *Ibid.*
6. Ramón Gómez de la Serna, *Ismos*, p. 288.

lógica, porque ha sido estructurado con la materia inédita que gravita en el subconsciente.

Los temas y los asuntos de este tipo de novelas siempre giran en torno al hombre y sus estados interiores: sus pasiones, impulsos, deseos, instintos, voliciones y anormalidades. Hay preferencia por los estados patológicos como reveladores de lo extraño, de lo absurdo, de lo novedesco. "Quieren llegar", opina Gómez de la Serna, "a otra verdad en estado paranoico, suponiéndose que la realidad es el más simple producto paranoico." [7] Recurre a veces no solo al disparate sino también a la ruda crudeza en un deseo intenso de depurar el mundo de la novela del concepto tradicional que se tenía del hombre y de la realidad. Quieren alcanzar un grado de verdad y sinceridad y llegar a lo imposible y nunca presentado anteriormente por los medios concretos y lógicos de la novelística tradicional. Pretenden alcanzar una superación en la creación artística y llegar a la suprema realidad por el camino de los sueños, del automatismo, de los estados de vigilia no controlada racionalmente o de delirio en que el subconsciente prevalece sobre la razón. "Aunque no se trata", insiste André Breton, "de producir obra de arte, sino de esclarecer la parte no revelada y por lo tanto revelable de nuestro ser en donde toda belleza, todo clamor, toda virtud que apenas conocemos, lucen de un modo tan intenso." [8]

Guillermo de Torre pone en duda la importancia exagerada que los suprarrealistas le otorgan al subconsciente y se pregunta:

"¿Será el sueño, la actividad onírica, al margen de la intelección lógica y del control crítico, la más pura fuente de sugestiones poéticos como llega a deducir Breton?"

Y señala que según han observado siquiatras y teorizantes clínicos, la producción genial del artista surge de la zona de la conciencia y que hay una relación estrecha entre el subconsciente con su actividad onírica y el preconsciente —parte de la conciencia que ejerce una censura constante a las "tendencias desbordadas del líbido". Niega además la sinceridad y espontaneidad al suprarrealismo porque llegan a sus delirios suprarrealistas por provocación artificiosa y no de la manera natural en que el verdadero poeta puede llegar a transfigurar los "elementos reales y cotidianos elevándonos a un plano distinto y a una atmósfera de pura realidad poética." [9]

Como se dijera en el capítulo I de esta disertación, la novela suprarrealista se propone manifestar lo irracional, las absurdidades de la subconciencia, lo arbitrario que hay en el espíritu del hombre,

---

7. *Ibid.*, p. 281.
8. *Ibid.*, p. 297.
9. Guillermo de Torre, *Literaturas europeas de vanguardia*, ps. 227-234.

pero controlando esa materia con el dominio de su buen juicio y su capacidad de artista. El novelista no se abandona a los puros devaneos del subconsciente ni se encierra en un exagerado subjetivismo, sino que, una vez que ha descendido a su interior a recoger el secreto de su más oculta actividad psíquica, regresa a la realidad y con luz nueva revelará sus hallazgos.

La imagen y el particular empleo del lenguaje es lo característico del estilo de este género narrativo. El relato fluye saturado de un lirismo que nace de un afinado sentido estético y de ese subjetivismo con que interpreta la realidad. Se acude a la imagen novedosa, sugeridora y atrevida que a veces denigra y rebaja la realidad y otras llega a las más peregrinas y particulares correlaciones entre los seres y los objetos de la realidad. Sobre este aspecto comenta Louis Aragón, uno de los poetas teóricos del suprarrealismo:

> "El vicio llamado suprarrealista consiste en el uso apasionado e inmoderado del narcótico de la imagen, o mejor dicho, de la provocación sin control de la imagen por sí misma y por todo lo que supone, en el dominio de la representación, de perturbaciones imprevisibles y de metamorfosis; porque cada imagen obliga a revisar cada vez más todo el Universo y cada hombre puede encontrar una frase que destruya todo el universo." [10]

El lenguaje es rico en elementos afectivos y sugeridores que lo capacitan para comunicar el singular mensaje de verdad y belleza interior. Se acude a la creación de nuevos vocablos para impartirle un sabor nuevo a la prosa. La incoherencia propia de los estados de delirio se manifiesta por la sintaxis alterada y por la falta de concordancia entre los diversos elementos de la oración. La literatura suprarrealista es arte para minorías. Es el desprecio total por la muchedumbre que no puede desentenderse de lo convencional y prosaico y por lo tanto no puede comprender el mundo suprarreal. André Breton dice en uno de sus últimos manifiestos:

> "El acto suprarrealista más simple consiste en bajar a la calle con el revólver en la mano y disparar al azar todo el tiempo que se pueda contra la muchedumbre." [11]

Uno de los recursos característicos propios de este tipo de novela es el monólogo interior —monólogo "in mente"— a través del cual se revela el mundo interior de los personajes.

---

10. *Op. cit.*, p. 680.
11. Ramón Gómez de la Serna, *Op. cit.*, p. 279.

## 2. Los hombres del hombre

Esta última novela de Eduardo Barrios aparece en 1950 y con ella parece cerrar el ciclo de novelas sicológico-subjetivas con las cuales se iniciara en la creación novelística. Junto a *El niño que enloqueció de amor* y *El hermano asno*, esta novela completa una trilogía perfecta de enlace temático, estructuración, técnicas narrativas y caracterización de los protagonistas. Como en aquéllas, en esta el relato supone un diario que recoge la intimidad secreta del protagonista; se estructura a base de un crescendo en la intensidad del conflicto cuyo final no se resuelve plenamente; el protagonista se caracteriza como un sentimental introvertido y el tema central es el conflicto espiritual que se crea en el mundo interior de esos seres que son, a todas luces, poco corrientes y de una complejidad poco convencional. Pero, como en todas ellas, hay también una variante en el tema y en la caracterización.

En *Los hombres del hombre* se logra una introspección más profunda en el cerrado mundo interior del protagonista. No solo se muestra la angustia interior consciente, como en sus otras novelas, sino que el autor traspasa ese plano y nos lleva a conocer la extraña "realidad" en donde residen las verdaderas y secretas esencias —el ser moral— del hombre. En esa "realidad íntima", dice Unamuno, "conviven y agonizan varios seres: el ser que uno es, el que es para los otros, el que uno se cree ser, el que se quisiera ser, el que no se quisiera ser y el que no se quisiera no ser".[12] Cada uno de esos seres es una parte de la verdad del hombre. Eduardo Barrios lleva el protagonista a enfrentarse con esos seres a quienes llama "los hombres del hombre". El conflicto de la obra está planteado, pues, en dos planos: uno *real*, externo y otro interno, *"suprarreal"*. En el primer plano se encuentra la angustia que le crean los seres del mundo exterior; en el segundo, la lucha con los "sigo-mismos" que habitan su subconciencia. Es este segundo plano el verdadero centro de interés de la novela.

Al relacionar esta obra con el suprarrealismo no estamos obligados a forzar su análisis dentro de los principios estrictos que rigen la actitud casi metafísica de ese movimiento. Este intenta abarcar la totalidad de la existencia humana y sus vínculos de armonía con las esencias del universo. Sólo queremos destacar el procedimiento que utiliza Barrios en la caracterización del protagonista de esta novela, en quien ensaya los métodos suprarrealistas. Para tales efectos presenta el protagonista en un estado de desesperación tal que le lleva a apartarse de la realidad material y sumergirse dentro de su

---

[12] Miguel de Unamuno, *Tres novelas ejemplares y un prólogo*, ps. 14-15.

siquis. Este tratamiento, sin duda alguna, linda con el suprarrealismo, que como se había señalado anteriormente, persigue la búsqueda de la verdad interior en el subconsciente, desentendiéndose de la realidad externa.

El relato de la novela consiste en un "soliloquio escrito en orden", que es como decir: la ordenación posterior de todo aquello que ha fluido desordenadamente de la profundidad interior. El protagonista vive un estado de conturbación espiritual, producido por una duda dolorosa, que le lleva a buscar la "limpia soledad en el espíritu innominado" [13] para "ver en la sombra" la luz esclarecedora que resuelva su duda. Analizando su propio estado, el protagonista escribe en su diario:

> "Quizá, más bien que estar enfermo, sea un enfermo. Pero creo extenderme más allá de lo que llama el hombre la salud síquica. Me veo en conflicto, cogido por un vórtice maléfico, sin duda; mas tal estado de ánimo también sitúa frente a umbrales que parecen abrirse a perspectivas inconmensurables." [14]

El tema particular de esta novela es: el conflicto sicológico creado por el intrincado laberinto de una duda. La necesidad de esclarecerla sitúa al personaje en una zona de extrañeza y soledad a la cual no llegaron ni Fray Lázaro ni el niño que enloqueció de amor.

El asunto se apoya en la tortura interior, en el dilema sicológico que envuelve al hombre que ve puesta en duda su paternidad. El hondo complejo de la timidez de que adolece el protagonista no le permite planterale su conflicto a su esposa, y así, la sospecha y la duda lo sumergen en una angustia tenebrosa. Empieza su diario planteando su angustia:

> "Jamás imaginé verme tan atribulado. Una noticia triste aunque vulgar al fin y al cabo; pero con ella, una mala, venenosa idea que asoma cual si hubiera estado agazapada y en acecho. Pronto, dos o tres más. Y así, poco a poco, la sospecha llena de pavor el corazón." [15]

El protagonista trata de objetivar el problema que le envuelve con el fin de llegar a la solución esclarecedora de su duda después del análisis de todas las ciccunstancias que, directa o indirectamente, han tenido que ver con su situación. Este es el propósito del diario, en donde ordena conscientemente todo el proceso sicológico interior que la duda le va creando. Pero también necesita analizar los hechos concretos y materiales de su vida pasada y presente. El relato de

---

13. Eduardo Barrios, *Los hombres del hombre*, p. 11.
14. *Ibid.*, p. 15.
15. *Ibid.*, p. 7.

esos hechos sirve de exposición de los antecedentes y de desarrollo de los hechos de la novela.

Once años lleva de casado con Beatriz. La vida había sido hasta entonces de normalidad relativa. Se les había cumplido, después de larga espera, el anhelo de tener un hijo y el tiempo se había deslizado en paz. Muy enamorado de su esposa había disfrutado de la gran alegría de saberla identificada con sus sentimientos y su sensibilidad.

Conocieron en un viaje a Europa a un diplomático inglés, Charles Moore, radicado en Argentina, quien por su cordialidad y generosidad de "buen muchachote sajón, su amplia cultura y su sensibilidad frente a las artes todas", se ganó su amistad. Y para cimentar esa amistad dieron su nombre al hijo: Charlie. Todos los años, Charles Moore les visitaba durante el verano, hasta que un día recibieron junto a la noticia de su muerte, la sorpresa de que les había dejado su cuantiosa herencia. El testamento, sin embargo, resultaba extraño. Legaba la mitad de su fortuna a su ahijado Charlie, quien "llegó a serle tan amado como legítimo hijo"; la otra mitad se dividiría en partes iguales entre ambos padres. Pero para el marido había una limitación: jamás debería comprometer la parte de su esposa y, en caso de algún mal entendido matrimonial, sería ella sola quien elegiría curador para el niño. Y es de esto que toma cuerpo la sospecha terrible: Charles Moore es el padre del niño.

En ese punto empieza la novela. "Cien días" de tortura en que ha ido creciendo la sospecha como un monstruo venenoso que pone en peligro su honor, y sobre todo, su amor por su hijo. Y así quedan objetivados en su diario, tal como se lo propusiera, los hechos exteriores de su conflicto:

"Me propuse no escribir con llanto ni con asustados distingos." [16]

Pero una vez planteada la situación, concretadas y precisadas todas las circunstancias exteriores, descubre que no hay hechos concretos: porque una vez aislados se quedan vacíos y obscuros sin que lancen la claridad deseada. Llega entonces a esta convicción:

"...lejos de objetivar, es subjetivar lo sabio, y no definir, sino indefinir, enrarecer hasta que lo diverso y múltiple trascienda su secreto." [17]

Rechaza entonces todo análisis lógico porque comprende que éste nunca le ha de llevar a esclarecer su duda. Así, su diario se convierte entonces en un puro fluir de sí mundo interior. La desesperación

---

16. *Ibid.*, p. 24.
17. *Ibid.*, p. 26.

más profunda lo hunde hacia su interior donde rondan los fantasmas que no pueden proyectarse claramente en las palabras. Las palabras, se dice, "cuando más las necesitamos y hasta perseguimos entre su multitud las válidas, suelen irse desvirtuando todas, o por demasiado netas, o por insuficientes y tornadizas".[18] Pero a pesar de esto continúa, como mera disciplina, ordenando en cuartillas todo lo que ocurre en su interior. Unas veces registra a posteriori esos estados de pura divagación del subconsciente y otras, registra los hechos materiales de las circunstancias exteriores. Con esto espera "reflejarse y esclarecerse".

Abandona su hogar en la ciudad, huye de los suyos y se refugia en la vieja casona familiar, asentada en los Andes. En lo alto, en la soledad cerrada del silencio andino piensa:

"En la altura, sí. Cuando nos hallamos confundidos y desesperados, debemos elevarnos. Lo aprendí de muy pequeño en este caserón, junto a esta chimenea: Pulgarcito, perdido en la obscuridad y la maraña del bosque, subió a la cima de un árbol y desde allí descubrió una lucesita en medio de su noche." [19]

Le acompaña la muelle presencia de Jacinta, de simplicidad campesina: alma benigna y sosegada "que no estorba al silencio". La soledad, la vigilia y el silencio lo llevan a descubrir "la multitud interior":

"Y acaso así, y aquí, como un caracol rodado hasta el rincón de la vida, resuene más sereno dentro de mi pecho el universo de mi multitud interior, en el cual me agito y me pierdo." [20]

Esa multitud interior la componen seres "sustantivos" y "seres adjetivos". Los seres sustantivos son siete y cada uno se nombra con uno de los siete nombres de pila del protagonista: Juan, Rafael, Fernando, Jorge, Francisco, Luis y Mauricio. Este número siete que enumera los seres interiores recuerda a Unamuno: "Todo hombre humano lleva dentro de sí las siete virtudes capitales y sus siete vicios opuestos, y con ellos es capaz de crear agonistas de todas clases." [21] Así, dentro del protagonista coexisten siete hombres y cada uno tiene una personalidad distinta: Fernando, el sentimental; Juan, el sensato y prudente; Mauricio, el astuto y mercenario; Luis, el sensual; Rafael, el celoso; Jorge, el sensible y soñador y Francisco, el místico.

---

18. *Ibid.*, ps. 26-27.
19. *Ibid.*, p. 7.
20. *Ibid.*, p. 15.
21. Miguel de Unamuno, *Op. cit.*, p. 24.

Los "seres adjetivos" se los hace conocer el sensato Juan con estas palabras:

> "Es necesario distinguir que viven dentro de nosotros algunos personajes falsos o semifalsos, artificiales, muñecos que hemos incorporado trayéndolos desde fuera. No existían en nuestro mundo interno; los vimos entre los extraños, nos cayeron en gracia, quizá los envidiamos, por emprevistos nos sedujeron, y le dimos cabida y terminaron por vivir dentro de nuestra multitud." [22]

Estos fantoches suelen durar poco: surgen un día, hacen actor al hombre en determinada circunstancia, satisfacen por un momento, pero luego se les desprecia. Se alejan fácilmente porque no porfían demasiado.

También deambulan en la subsconciencia otros fantasmas. Unos son los seres que se hubiera querido ser, que viven sustentados por el ensueño y lanzan muchas veces su gemido. Otros, son los "cadáveres que se lleva a cuestas" y otros, seres que agonizan y no acaban de morir.

Toda esa pluralidad de seres conviven en la personalidad del protagonista; unas veces en desequilibrio y completo desorden "porque más fácil resulta poner de acuerdo a cien extraños que a estos gemelos".[23] Otras veces, logra una armonía aparente. Esto ocurre cuando uno de los sujetos interiores impone su personalidad y predomina sobre los otros. Entonces las gentes de afuera suelen reconocerle "carácter" y una personalidad balanceada, cuando en efecto, ocurre todo lo contrario. Todos los demás seres están sometidos a la tiranía de uno solo y, por lo tanto, interiormente no puede haber serenidad.

A veces el protagonista escoge una de sus personalidades para que dirija las demás —la "madrina", como la llama recordando al arriero que le explicó la forma de gobernar su tropilla de ganado— pero la "tropilla interior" del protagonista se dispersa demasiado.

Su conflicto mayor está en esta multiplicidad de seres; todos con sus voces resonando en su interioridad sin que logren ponerse de acuerdo. Le persiguen siempre, día y noche, en la vigilia y aun en el sueño. Llega a la conclusión de que "soñar vale casi como delirar" y que "si en los sueños todo es revuelto y sin lucidez, un repaso tranquilo de las voces",[24] ordenadas y objetivadas del sueño, pueden darle verdadera luz para ordenar su pensamiento. Pero casi siempre las voces tienen diversidad de opiniones, y ese caos interior no permite resolver la duda.

---

22. Eduardo Barrios, *Op. cit*, ps. 98-99.
23. *Ibid.*, p. 308.
24. *Ibid.*, p. 105.

Mientras tanto vigila cada gesto, cada acto de su mujer, buscando algún motivo de esperanza. Pero ella, acaso también tenga su multitud interior que oculta la verdad. Acude a sus voces. Juan le hace comprender que no hay nada reprochable en la conducta de la mujer; Mauricio le urge aprovecharse de la fortuna que las circunstancias, sean cuales fueren, le han traído; Luis le exige entregarse a la esposa que es la única que satisface sus sentidos; Rafael le hace repudiarla como despojo de la lascivia de Mr. Moore; Jorge le sugiere dulcificar su vida con el ensueño y le recomienda serenidad, mucha serenidad. Por último, Fernando el sentimental, el irresoluto, nada dice. Y sobre todos ellos, pobremente orillado, "este último y real señor"; el que hace cara al mundo exterior y esconde en el desván de su subconsciencia toda esa humanidad se seres inconformes. Sobre sí mismo dice:

> "Algo suave y maltratado, sobrevivo. Cual si este yo fuera una imagen que descolora y se desdibuja en un espejo enturbiado. Yo, yo... ¿Quién, pues? Un espectro borroso al fondo de una luna opaca." [25]

Muchas veces trata de revivir las escenas pasadas entre el extranjero y su esposa. Difícil tarea para quien vivió entonces despreocupado y feliz. Esfuerza la memoria en vano; sin embargo, bastan unos ligeros toques del mundo externo en su sensibilidad: una gota de agua que suena en el silencio de la noche, el grito metálico del grillo, para que se sacuda su subconsciente y broten recuerdos esclarecedores. "Es así", se dice entonces, "algo recuerda la mente, mucha la sensibilidad." [26]

Surgen revelaciones de amistad y entendido entre su mujer y Mr. Moore y Fernando reflexiona entonces:

> "Es curioso el fondo de la memoria: una sombra en el que hay muchas cosas que se repliegan y despliegan como seres que se manejasen allí por su cuenta, con voliciones propias, y que se asoman y se ocultan a no sé a qué órdenes y llamados inconscientes del anhelo." [27]

Solo un consuelo le alienta en ese caos sombrío: el niño, "Cabecita despeinada", como le llama ahora para evadir el nombre que le atormenta. Le observa detenidamente. Tiene la belleza serena de la madre, pero tiene además el ingenio y la fina percepción del padre. Sorprende la fina sensibilidad del niño frente a situaciones idénticas por

---

25. *Ibid.*, p. 111.
26. *Ibid.*, p. 12.
27. *Ibid.*, p. 74.

las que él ha pasado y que le han hecho experimentar emociones parecidas a las que le cuenta el niño. Descubre sorprendido su lejana niñez reflejada en el hijo y hábilmente le interroga para corroborar el hallazgo. Pero Mauricio y Rafael le indican que esa identificación de la sensibilidad no asegura la consanguinidad. Persiste, entonces en hallar un rasgo físico suyo en el niño. Acaso apareciera el lunar que él tiene en el brazo y que apareció allí más o menos, a la misma edad del niño. Ese lunar afirmaría su paternidad. Con obsesión lo busca día a día, avergonzado de ello como si ultrajara la inocencia de su amor por el niño; pero el lunar no aparece.

La duda termina al fin; no porque él la esclareciera, sino porque Beatriz después de haber descubierto el diario le confiesa la verdad:

> "Oyelo bien. El niño es tuyo, y si más hijos hubiera tenido, tuyos habrían sido. ¡Yo adúltera! No faltaba más. No sé cómo no te abofeteo." [28]

Confiesa además, que Charles Moore la amaba y por eso les legó la fortuna; pero fue el suyo un amor callado que ella descubrió y evadió delicadamente.

Después de esto el amor muere entre ambos. Sólo el niño les unirá en formalidad aparencial. Los hombres interiores se eclipsan, languidecen o se esconden en el rincón callado del ser. Ahora, solo, se busca a sí mismo, sin multitudes. Quiere escucharse, pero su ser no habla. "El ser", nos dice, "penetra mucho la hondura, él toca el arcano, él, la raíz de la multitud, sabe del ciego contacto cósmico; mas, si para expresar algo se aísla, logra sólo sentirse trágicamente separado y solo".[29] Así, solo, siente alcanzado su límite como quien llega a la muerte. Y apunta en las últimas páginas de su diario:

> "...para vivir somos muchos y para morir uno solo." [30]

El consejo del místico Francisco acude ahora: buscar la serenidad, don inefable y sencillo tan difícil de encontrar. Sólo una ilusión le resta ya: el hijo —"suave y tibio refugio de ternura".

Los personajes que se mueven en el plano de la realidad concreta son muy pocos: el padre, Beatriz, el niño, Jacinta y Chela Clarín, la amiga de Beatriz.

Beatriz es casi una silueta vaporosa y lejana. Se humaniza a veces, en la intimidad con el marido y en las relaciones maternales con el niño. A veces se inmoviliza como una esfinge, en quietud y ausencia remota del espíritu. Ella es la incógnita, el eterno misterio femenino.

---

28. *Ibid.*, p. 296.
29. *Ibid.*, p. 309.
30. *Ibid.*

Su hermosura impasible, sus gestos aristocráticos y serenos, su figura contenida no delatan su mundo interior. El angustiado marido provoca en ella la irritación con una escena violenta y espera descubrir la verdad en su emoción, pero el llanto borra toda la expresión de su rostro y no puede descubrir sus secretos íntimos.

Los hombres interiores la definen de acuerdo con su temperamento: modelo de virtudes para Juan; práctica y conveniente para Mauricio; hermosa y sensual para Luis y liviana y lujuriosa para Rafael. Para el sentimental resulta demasiado firme y segura. Disfruta de la fortuna tranquilamente, ajena a toda sospecha. "Se realiza" como le aconseja Chela Clarín, la hábil manejadora social de Beatriz. Hasta el nuevo automóvil que se ha comprado se le identifica: "una gran máquina, sin duda, de las que hasta el frenar ostenta silencio". Ella es la fortaleza, él es el quebrantado; por eso la respeta y la teme. La decisión final de Beatriz; al descubrir la sospecha de su marido, se esperaba. Su carácter no podía llegar a menos.

Charlie, el niño, es una de las figuras literarias más hermosas que hemos conocido. El personaje está hecho con las sustancias más puras y más delicadas de la sensibilidad del novelista. Hemos conocido otros niños: el niño que enloqueció de amor y el Lucho Bernales infantil, y en todos desborda la ternura del autor; pero en "Cabecita despeinada" ha soplado el hálito poético de una sensibilidad paternal refinada y exquisita.

Le conocemos en intimidad con el padre en varias escenas como esta:

> "...Lo llamo y lo siento sobre mis rodillas. La penumbra es propicia; él ha de tener un cansancio de tanto jugar; de manera que se somete a mis caricias mudas: mi mano vehemente, nostálgica de él, hunde los dedos en su argollada pelambrerita negra...
> "Para mimarlo, cojo entonces la cachimba, ya fría y se la ofrezco:
> "—Toma, juega. Fuma tú también, a ver.
> "Hace una mueca de rechazo.
> "—¿Te repugna?... Me tienes asco...
> "El resuelve la situación: parte, a escape." [31]

Y luego a la hora de acostarse:

> "—Ya tendrás sueño, hijo.
> "—Y usted, ¿no tiene sueño?
> "—¿Le gusta dormir, papá? A mí me da miedo a veces a quedarme dormido. En cuanto uno se duerme, ya no es nadie, se muere.
> "—¡Oh! No tanto.
> "—Parece, ¿no?

---

31. *Ibid.*, p. 51.

"El se acurruca. Pero saca luego una mano, coge la mía y me habla muy bajo:
"—Papá, ¿usted creyó que yo le tuve asco? No. Cuando usted no estaba allí, yo me puse la cachimba en la boca...
"Estuve a punto de sollozar..."[32]

Otra escena que sirve para caracterizar la sensibilidad del niño es la siguiente: El niño al acostarse llama a la madre. Ella ha salido. El padre solícito le dice: "Duérmase, mi niño mientras tanto. Ya vendrá ella y lo besará dormido." El aunque conforme continúa, sin embargo: "Mamá, mamá, mamá." Insistí ya terminante: "Pero si no está en casa, ¿a qué porfías?" Y él, manso y como soñador me replicó: "No importa, yo la llamo."

Le describe en una ocasión, inmóvil, quieto como en pintura: con la vista fija en la distancia y uno de sus pies montado sobre el empeine del otro. En abstracción dolorosa escucha el mugir de una vaca. Acompaña los mugidos del animal con fuertes sorbetones de la nariz. Pregunta entonces:

"—Cuando a una vaca se le muere su ternerito, papá, ¿sufre mucho?
"—Sufre, naturalmente, la vaca. El ternerito es su hijo. Cómo no ha de sufrir.
"El niño vuelve al silencio mientras frota el empeine de su pie. Luego suspira y exclama:
"—¡Eh! ¡Qué importa! Después pone otro."[33]

Lo caracteriza también según va despertando su sensibilidad. En varias situaciones muestra la fina percepción del niño para captar las sutilezas del ambiente. Le gusta imaginar "lo que nunca se sabrá": las mil voces en murmullo impreciso que recoge el viento entre las gentes del parque; la conversación animada entre su madre y Chela de la cual solo le llega un bisbiseo tembloroso; las multiformes siluetas que entran por el tragaluz de su cuarto y que silenciosamente van registrando la vida de afuera. Padre e hijo se identifican en estos momentos. El padre entonces le va mostrando lentamente cómo descubrir el mundo inefable de la poesía. Muchas veces siente al niño unido a su dolor de incomprensión y lo presenta arrinconado dentro de sí mismo. En un momento de incomprensión con la madre lo describe así:

"Lo veo irse, lento primero, acelerando el paso después. Lleva la frente baja. Su pelambrerita revuelta descubre la nuca pálida, que acaba en dos tendoncitos abultados. Arrastra los pies al principio, sus ca-

---
32. *Ibid.*, ps. 57-58.
33. *Ibid.*, p. 52.

racterísticas patitas de pisar oblicuo y siempre un tanto hacia dentro. Su blusa gris, su pantalón vacío en las posaderas, sus calcetines caídos parecen cosas doloridas y humilladas." [34]

El personaje de Chela Clarín está hecho con toda la antipatía y repulsión que puede sentir el autor por este tipo de mujer. Desprecia en ella la frivolidad e imprudencia de mujer demasiado desenvuelta, entrometida y locuaz. Chela Clarín es la mujer que cree conocer todas las soluciones para los conflictos matrimoniales, resultando a la larga, en la más temible rompedora de hogares. Es refinada y altamente socializada. Representa el esnobismo moderno en la mujer: fundadora de clubes literarios, concurrente asidua de círculos artísticos. Cree que la mujer tiene que "realizarse", esto es, vivir al día y entregarse a la tarea de darse a conocer. Así la juzga el protagonista de la novela:

> "Es útil que haya entre la gente que nos rodea algún ser antipático, para que absorba la porción de odio que a todos se nos ha puesto en las entrañas y que de otro modo nos exponemos a dirigir contra personas que no lo merecen." [35]

La describe en caricatura:

> "...cuarentona, bien plantada, bonitas piernas, sobre las cuales, sus adiposidades se sostienen para moverse ágiles. Una faja y un sostén muy flojos permiten a sus turgencias esa soltura de las gordas deportivas y trotacalles. Sin mirarle la cara, puede que guste; pero encima del cuello con papada y bajo el pelo teñido color caoba, repantiga su antipatía: ese mentón sumido y esa dentadura saliente. Siempre me rechazó su expresión de roedor bien cebado." [36]

Pero a pesar de todo esto, el personaje no resulta del todo desagradable. Apreciamos en ella las cualidades de un verdadero ser humano y entendemos las razones del protagonista para sentir por ella tal antipatía. Sin duda alguna, Barrios ha copiado este personaje de un modelo real.

La acción de esta novela es tan escasa como la trama. Sólo encontramos ese hilo entretejido de la angustia del protagonista. Los "hombres del hombre" son los hábiles tejedores de este conflicto. Donald Fogelquist, refiriéndose a esta novela, la llama "drama libre de todo aparato, de todo inútil elemento; sencillo, desnudo, apasionado como una novela de Unamuno". [37]

---

34. *Ibid.*, p. 237.
35. *Ibid.*, p. 119.
36. *Ibid.*, p. 127.
37. Donald Fogelquist, *Op. cit.*, p. 22.

El ambiente, como en las novelas de vida interior, es de doble plano. Trasbordamos constantemente del marco material exterior al marco espiritual interior. El clima espiritual es más angustioso. Bastante parecido al de *El niño que enloqueció de amor*, pero más denso y de mayor intensidad, porque en *Los hombres del hombre* se ausculta más profundamente. La complejidad espiritual del personaje le imparte a la obra un dramatismo que no tienen las otras. La atmósfera tiene la oscuración particular de los sueños; y más propiamente de la pesadilla. Los seres interiores, expulsados hacia fuera por la desesperación anímica del protagonista, cobran vida y dibujan sus figuras en blanco y negro; y sombras apenas, aparecen y desaparecen con la libertad que rige el mundo de los sueños. El relato todo, emana una angustia turbia, de soledad y desquiciamiento: "como cuando se ha vendido el alma al diablo".

Eduardo Barrios nos hace asistir tras bastidores, donde la duda va urdiendo su drama de sospecha y desconfianza. Los seres interiores son los protagonistas que la representan. La transparencia del estilo de Barrios logra reproducir limpiamente ese caos mental, evadiendo todo embrollo de índole metafísica y sin detenerse en disquisiciones seudocientíficas.

El paisaje de Chile se asoma brevemente y casi siempre en una percepción impresionista y poética, como esta de los Andes:

> "La transparencia del aire asombra en las alturas, por ellas las enormidades abruptas se funden con la ternura de los verdes, y los azules celeste aquietan ranchos, torrentes y caminos. Es un paisaje inmóvil de porcelana, que aun sonaría si le diéramos con los nudillos." [38]

Otras veces el paisaje se subjetiva y se funde dentro del personaje:

> "Diríase que se había enrarecido la mañana y pasaba por mi pecho como el aire pasa por una caña verde." [39]

En el tono de la obra se percibe el intento de objetividad con que el autor trabaja al protagonista al cual pone a analizar su estado sicológico hasta encontrarse con la imposibilidad de sustraerse totalmente del subjetivismo. El diario en donde se propuso objetivar su conflicto resulta, por lo tanto, en una exposición muy impresionista y enteramente matizado de poesía. La emoción que se desprende del conflicto es de tal intensidad, que toda la interpretación que se plantea el protagonista de la situación que le envuelve, resulta muy lírica. Barrios mismo dice lo siguiente, poniéndolo en boca de Jorge, el soñador:

---

38. Eduardo Barrios, *Op. cit.*, ps. 38-39.
39. *Ibid.*, ps. 168-169.

"La verdad de las cosas, en particular cuando pertenecen a la vida sentimental, se manifiesta como en una anunciación, fluye desde cuando ellas nacen y las acompaña iluminándolas no sé qué lirismo en su trayectoria. La sensibilidad capta la onda, la razón, a posteriori, a lo sumo comprueba." [40]

Hay, además de ese elemento poético, una nota de angustia y desesperación que fluye a través de todo el relato y acentúa la intensidad del tono.

Un símbolo recoge la idea central de la obra. Es un zorzal que viene a picar las uvas del parrón que cuelga de la ventana. El sol de la mañana le convierte en espejo el cristal del ventanal y ve allí reflejada su imagen. Cree que otro macho le disputa el lugar y arremete a picotazos contra el cristal. Y así se está hasta que cambia el sol y no le hace más espejo. El protagonista anota en su diario:

"...me descubro, reflejo de reflejo, en ese pájaro rival y enemigo de sí mismo." [41]

El protagonista, igual que el zorzal, es víctima de los múltiples reflejos en que se desdobla su personalidad y lucha consigo mismo frente al dilema de la duda que no logra esclarecer.

El tiempo de duración de la obra es de un año, poco más o menos: cien días de angustia anterior han transcurrido antes de comenzar el diario y nueve meses más transcurren hasta el final de la novela. Pero ese registro temporal sólo abarca los hechos materiales exteriores. La angustia interior no camina con el tiempo. Allí todo se ha detenido en una larga noche sin minutos ni horas. Los días todos son iguales, como es igual la duda y es igual el tormento de no poder esclarecerla. El laberinto se acentúa día a día, siempre se oscila entre la angustia y la esperanza.

De los procedimientos suprarrealistas aprovechados por Barrios, además de la relación ya establecida en el análisis de la novela, podemos enumerar algunos a continuación:

*a)* El conflicto no pertenece al plano de la razón, del intelecto, ni de la conciencia; sino de la intimidad del individuo: el subconsciente. Se acude al procedimiento de bloquear la conciencia en una nebulosa —en este caso el turbión de una duda— para adentrarse en las profundidades del ser hasta alcanzar la verdadera personalidad.[42]

Veamos un momento de la novela en que el protagonista explica cómo ocurre esta incursión interior:

---

40. *Ibid.*, p. 110.
41. *Ibid.*, p. 31.
42. George Lemaitre, *Op. cit.*, ps. 201-202.

"He permanecido largo rato inmóvil en la soledad de la noche. Ya es muy tarde. Se ha hecho un silencio que se me ocurre de infinito y de vacío. Ha caído sobre la confusión de mis voces y lo siento como cuando la lluvia cesa y es substituida por el mudo caer de la nieve... ¡Qué desolado! Yo, silente a mi vez y como un enfermo que husmeara su quejido, lloro sin lágrimas... Este silencio compacto hace pensar en un abismo relleno de niebla." [43]

En la vigilia que le produce esa duda indescifrable, en la duermevela, liberado de las contingencias circunstanciales por la obscuridad que le envuelve física y espiritualmente, se produce el fluir de la subconciencia. Escucha sus voces interiores. Para dormir necesita "acostar a los otros igual que a niños o a parientes". Siempre un ser se queda vigilante en el sueño; "a fin de no dormirse del todo, a fin de no morir, se mantiene soñando. Los sueños sirven de juguetes para no despertar ni dejar de seguir despiertos." [44]

En los sueños acuden algunas claridades a su conciencia. En una ocasión Jorge le recomienda: "Anda, recógete. Mudo iré yo saliéndote al encuentro mientras duermas." Y efectivamente, tiene un sueño fecundo en "siembras calladas". Anota entonces en su diario: "noche de misterio, tan activo e influyente, que luego, en la vigilia ya, pensamientos y diálogos interiores se me ocurren una mera continuación. Pero algo tienen además estos diálogos y estos conceptos, algo de inseguridad y delirio. Soñar vale casi como delirar." [45]

b) El suprarrealismo sostiene la idea de que en la niñez se poseen aptitudes fértiles y ricas y una fuerza poderosa para lograr "una intensa comunión entre el ser humano y la esencia del universo". Sostiene además, que esa fuerza natural ha sido anquilosada por la educación racional moderna y que el hombre adulto debe lograr recuperarlas; no para volver al infantilismo, sino para cultivarlas con mente adulta; porque ellas probablemente posean el secreto del enigma de la existencia, así como la clave de la serena felicidad. [46]

Eduardo Barrios no va tan lejos, pero trabaja esta idea en la caracterización del protagonista. La identificación que el padre busca constantemente con el niño, y sobre todo, la felicidad extraordinaria que le produce el retorno de su sensibilidad infantil, descubierta por él en el espíritu del hijo, son muestras de ello.

Le vemos anotar en el diario en una de esas ocasiones:

"¡Ay, de aquél a quien este niño que fuimos ya no acude! Es él quien retorna y se nos presenta en ciertas crisis de la vida, muchas veces

---

43. Eduardo Barrios, *Op. cit.*, p. 208.
44. *Ibid.*, p. 212.
45. *Ibid.*, p. 105.
46. George Lamaitre, *Op. cit.*, p. 197.

> para salvarnos, en todo caso para poner frescura y pureza sobre las turbulencias y las crueldades."[47]

Otra vez:

> "Ya entonces, como un viento entra en una casa y la llena de improviso, retornó a mí todo un pasado, una lejanía de mi niñez, y se quedó en mí, latiendo. Fue aquella la primera identificación sutil que coloreó la esperanza."[48]

El desenlace del conflicto de la obra recae precisamente en esta idea. Terminada la duda sobre la paternidad del hijo y perdido definitivamente el amor de su esposa, ya sólo alienta en su corazón la hermosa identificación con el niño: "suave y tibio refugio de mi ternura". Y completa esta idea —hombre-niño— con una estampa al final del libro:

> "Pasó una carretela por el camino. Llevaba en la trasera ese hombre a su hijo pequeño. Iba él conduciendo el pescante y el chico atrás tirando por un cáñamo una carretilla de juguete que a su vez, como la grande, rodaba sobre la calzada. Padre y niño, sintiéndose ambos igualmente conductores, tenían el mismo afán y la misma dignidad bajo el sol."[49]

Esta novela es ciertamente obra de madurez. Fluye en sus páginas ese "temblor de belleza" que se logra con el equilibrio perfecto entre el sentimiento y la expresión. El lirismo sigiloso y limpio que nace de la emoción contenida ya lo habíamos visto en *El hermano asno*, pero aquí en *Los hombres del hombre* se logra plenamente.[50] Solamente con el reposo de los años y la experiencia artística puede lograrse una expresión tan digna. *Los hombres del hombre* cierra el ciclo de novelas de vida interior, altamente subjetivas, en que la incursión sicológica se hace con el aliento poético propio de la poesía lírica. Como habíamos dicho anteriormente, *El niño que enloqueció de amor*, *El hermano asno* y *Los hombres del hombre* forman una trilogía de novelas enlazadas por el tema, la misma preocupación por los conflictos íntimos del hombre y, también, por el aliento poético con que están escritas. Las tres revelan las ideas estético-literarias que el autor tiene sobre la creación novelística.[51]

---

47. Eduardo Barrios, *Op. cit.*, p. 158.
48. *Ibid.*, p. 153.
49. *Ibid.*, p. 316.
50. Se ampliará en el capítulo sobre el estilo.
51. *Ibid.*

*Los hombres del hombre* es lectura para minorías. Al lector superior —la sensibilidad refinada y la conciencia estética—, y al lector inocente —frescura e ingenuidad—, dedica Eduardo Barrios esta novela:

> "...hemos de darnos, con amor y respeto, a la sabiduría y la inocencia:"[52]

---

52. Eduardo Barrios, *Op. cit.*, p. 6.

## VI. OBRA DRAMATICA DE EDUARDO BARRIOS

El prestigio de Eduardo Barrios como novelista ha hecho que se ignore su contribución al género dramático. Aunque no ha producido obras de alto mérito, su teatro tiene gran significación en las letras de su país. En él revela su conocimiento de las técnicas dramáticas y su preocupación por los problemas sociales de su época. Sus obras aún cuando no pasan de ser ensayos en la creación de este género, tuvieron gran acogida en su momento y ocupan un lugar meritorio en el incipiente teatro chileno.

Cultiva este género en sus primeros años de escritor,

> "...mientras madura sus mejores obras, lleva a la escena sus observaciones sobre las vidas opacas de la clase media y del empleado modesto; pequeñas tragedias en 'voz baja' de los que tienen la dignidad de ocultar su dolor."[1]

Escribe cuatro obras: *Mercaderes en el templo* (1910), *Por el decoro* (1912), *Lo que niega la vida* (1914) y *Vivir* (1916), en las que nos da una interpretación bastante realista de la sociedad de su tiempo. Sus asuntos giran en torno de una clase burguesa nueva que reclama aceptación de la vieja y aristocrática sociedad chilena; de las familias aristocráticas venidas a menos a quienes la sociedad a que pertenecen da la espalda y tienen que ampararse dentro de esa nueva clase media, "gente de medio pelo", a quienes una vez repudiaron. El drama íntimo de estos seres interesa por los perfiles heroicos que muchas veces adquiere su vida cotidiana, su existencia vulgar.

Casi todo el teatro chileno de esta época se ocupa principalmente de esta nueva clase e ignora o no se atreve llevar a escena la vida de la alta sociedad. Sobre esto comenta Domingo Amunátegui Solar:

> "No podría negarse que a menudo ocurren en los centros sociales sucesos dramáticos dignos de figurar en la escena; pero al mismo tiempo, hay que confesar habría imprudencia y peligro en ofrecerlos al público, con todo el relieve del arte.

---

1. Milton Rossel, *Un novelista psicológico: Eduardo Barrios*, Atenea, 1940. Vol. XLIX, p. 10.

"En un mundo pequeño, como el chileno, aun en la capital, se correría el riesgo de que cada representación se convirtiera en un escándalo, y tal vez en una tragedia."[2]

Creemos, sin embargo, que Barrios siente predilección por esta clase humilde ya que él mismo, aristócrata venido a menos, conoció de cerca esta vida cuando se ganaba el pan en cualquier tarea, olvidándose de su ascendencia aristocrática. Su preocupación americana lo lleva a captar el conflicto de esta clase social baja, de auténtica raíz criolla, en lucha con las normas establecidas por una sociedad de tradición europea.

1. LOS MERCADERES EN EL TEMPLO

Este primer drama aparece después de publicar su primer libro de ficción *Del natural* en el 1907. No hemos podido conseguir ninguna de estas dos obras para este estudio y nos hemos tenido que conformar con los ligeros apuntes que sobre ellas han hecho Arturo Torres Rioseco[3] y Domingo Melfi Demarco.[4]

Sobre *Los mercaderes en el templo* apunta Melfi Demarco:

"...conocéis, su primer drama, *'Mercaderes en el templo'*, que marcó —y dejemos de un lado los errores de la composición de que está erizado— una gran esperanza para nuestro teatro nacional. Existe ahí materia para un gran drama, que es preciso esperar para cuando su autor se resuelva a transformarlo, quitando los lunares y el soplo fuertemente romántico que ondula por las escenas."[5]

Esta obra parece haber desaparecido totalmente como asegura Ned J. Davidson basándose en una carta recibida por él del mismo autor. El autor confiesa que ni él mismo posee un ejemplar de *Los mercaderes en el templo*.[6] La pieza consta de cuatro actos y su tema es la hipocresía religiosa y la "forma falsa del cristianismo".[7] Obtuvo el premio del Consejo de Letras en el año de 1910 durante la celebración del Centenario de la Independencia chilena. Tuvo una gran acogida y se representó varias veces; por el contrario *Del natural* fue

---

2. Domingo Amunátegui Solar, *Letras Chilenas*, p. 322.
3. Arturo Torres Rioseco, *Eduardo Barrios*, Atenea, Feb., 1940, Vol. 49, páginas 212-214.
4. Domingo Melfi Demarco, prólogo a *Teatro escogido de Eduardo Barrios*, p. 18.
5. *Ibid.*
6. Ned J. Davidson, «The Dramatic Works of Eduardo Barrios», cita número 2.
7. Ronald Hilton, «Recorded interview with Eduardo Barrios for the Archivo de Cultura Latinoamericana of KGEI», La Universidad del Aire, Santiago, agosto, 1954. Citado por Ned J. Davidson, *Ibid.*, cita número 3.

rechazada por el público de su tiempo porque en ella Barrios desafía violentamente los convencionalismos de la sociedad y revela su desacuerdo con las instituciones religiosas. El prólogo con que introduce esta obra resulta por demás radical y anticonvencional.

## 2. Por el decoro (Ante todo la oficina)[8]

En el limitado espacio de un acto, repartido en siete breves escenas, esta pieza, a manera de sainete, expone el tema de todo su teatro posterior: el papel desigual de la nueva burguesía frente a la clase aristocrática, a través de la corrupción de la burocracia y la política chilena. En ésta los oportunistas de la clase alta, por tener el respaldo de "los santos en la corte" se aprovechan de su posición y utilizan a los empleadillos de oficina que tienen que someter su dignidad a cambio de un pobre sueldo. Don Carlos, el modesto empleado de una oficina gubernamental, le recomienda al jefe prudencia antes de despedir a dos señoritos que no cumplen con su deber:

> "...Que veníamos a eso, señor, a manifestarle la utilidad incontable de estos dos jóvenes para la oficina. Es verdad que abusan. Con el pretexto de andar detrás de tal o cual senador, del Ministro Fulano, del Diputado Mengano, pasan el tiempo en la calle y no hacen nada en el escritorio. Por eso nosotros les hacemos sus tareas... Y con mucho gusto.
> 
> "¿No es así, compañeros?"[9]

El decoro de la oficina y la dignidad de todos se somete a cambio de un aumento de sueldo que de otro modo no podrían conseguir. Toda la pieza es un juguete cómico permeado de una gran ironía que revela el desprecio del autor por esa situación.

## 3. Lo que niega la vida

La lucha de clases reaparece aquí con nuevos matices: la falta total de indulgencia de la clase alta frente a la clase media y como el escándalo y la maledicencia caen sobre una familia venida a menos. Toda la trama gira en torno a María Rosa, quien representa el último eslabón entre su casa que se hunde en la miseria y el mundo elegante al cual no puede renunciar. Para salvar su familia se casa con un joven rico de la aristocracia chilena, pero fracasa en su intento. Su

---
8. Título con que aparece en *Y la vida sigue* en 1925.
9. Eduardo Barrios, *Ante todo la oficina* en *Teatro escogido*, p. 81.

marido la abandona en París donde pasaban su luna de miel y para regresar a Chile se ve obligada a aceptar la ayuda de otro señorito que la hace su amante y luego la abandona a su vez. De regreso al hogar se hace cargo del sostenimiento de su familia: tres hermanas solteras, Carlos un hermano menor, y la madre. Proscrita por la vergüenza que ha traído a su familia e imposibilitada de conseguir un empleo digno, María Rosa se ve obligada de aceptar como amante a Roberto. Este a pesar de amarla, no se casará con ella por temer a los convencionalismos, pero le ofrece protección económica y seguridad moral a ella y sus hermanas.

Por esta situación, sus hermanas solteras descienden a un plano equívoco y son solicitadas por seductores profesionales de esa misma sociedad que las rechaza. El drama lo vive María Rosa: ¿Cómo salvar la virtud ajena cuando la propia ha sido vencida? Las hermanas resentidas con ella por la posición en que las ha colocado; deseosas de disfrutar del amor legítimo, pero inexpertas, aceptan los galanes, desatendiendo los consejos de María Rosa. Al final reconocen la sinceridad de su hermana y se arrepienten.

Roberto, el enamorado de María Rosa, sostiene la posición del autor. Sus parlamentos están llenos de un retoricismo que le resta naturalidad a sus palabras:

> "Pero es que así se hace la deshonra de los venidos a menos. Cuando en una casa hay hambre, cuando mundanamente esa casa baja algo en la cotización social, todo es degradante para ella." [10]

Los personajes de esta obra son fundamentalmente tipos ya que el autor quiere representar el conflicto de una clase y no el de un solo individuo. María Rosa y sus hermanas representan el drama angustioso de la mujer de la clase media chilena de principios de siglo XX, sometida a normas restringidas de la sociedad. Probablemente Barrios intenta en esta obra apoyar el movimiento feminista chileno de principios de siglo.

Otros tipos que se destacan en la obra son: Gallardo, Carlos, Roberto y Canales. Gallardo representa el esnobista aristocrático y calavera, indigesto de lecturas del positivismo del siglo XIX que busca el "placer por el placer, sin sentimentalismos":

> "¡Talento!... Me dijeron que lo tenía, y lo creí... Luego me di cuenta que era una carga, una exigencia de trabajo y de producción, un estorbo a la felicidad... y me sacudí de él, y lo ahogué... ¡Ja, ja, ja! Me creía obligado a grandes cosas, me hacía la vida difícil, iba camino de la infelicidad. Sí, el talento es la mayor de las tonterías, créeme." [11]

---

10. Eduardo Barrios. *Lo que niega la vida* en *Teatro escogido*, p. 81.
11. *Ibid.*, p. 184.

Pretende seducir a una de las hermanas y su actitud es extremadamente indigna. La escena que mejor lo caracteriza es aquella en que hace alarde de su dinero en casa de las chicas con una estatuilla de porcelana que le ha costado una fortuna y que María Rosa rompe distraídamente.

Carlos, el hermano menor de María Rosa, derrotado por las circunstancias e impotente para asumir el papel de jefe de familia, se hunde en la indiferencia, desprovisto de amor y comprensión:

> "...con culpa o sin culpa, el resultado es igual. Mamá, ya ves que nuestra reputación se pierde. No tendrán ellas ningún delito encima; pero el mundo es así." [12]

Roberto es un personaje más complejo. Admiramos la defensa que hace de las mujeres y la comprensión y el amor que siente por María Rosa, pero nos extraña su incapacidad para ofrecerle un amor digno. Con estas relaciones la esperanza de reivindicación moral de María Rosa queda definitivamente anulada. Simbólicamente, al final del segundo acto, entra por la izquierda envuelto en las sombras en que queda la escena momentos antes de caer el telón y se escurre en la habitación de María Rosa. Roberto representa la idea del amor intrínsecamente puro aunque divorciado de toda responsabilidad social. Esta es la idea que defiende Barrios en sus primeras obras, en *Del natural* sobre todo. La "avasallante fuerza del amor hasta en la sensualidad" a la manera de Zola, se sanciona en esta obra y advierte Barrios que, la "pasión es sentimental y concupiscente a la vez: y el escritor que no concierte estas dos faces hará algo imperfecto, falto de vida, y por lo tanto, desprovisto de interés".[13] Cree que hay que desentenderse de los convencionalismos sociales para expresar lo erótico en su más sincera verdad.

Canales es el joven de medio pelo. Nunca aparece en escena, pero lo reconocemos por el silbido con que se hace notar de las mujeres que habitan la casa. Es un muchacho de la clase media baja, pero deseoso de superarse: sobre todo culturalmente, como lo demuestra su asidua asistencia a los conciertos y representaciones. Pretende a la menor de las hermanas, pero éstas se burlan de él haciendo comentarios hirientes siempre que pasa por la calle y escuchan su silbido. Este personaje insinuado por tan escasa referencia —la tonadilla silbada que se escucha en escena, constante a pesar de las circunstancias que degradan la honorabilidad de las mujeres— es un acierto teatral de la obra. Al final entendemos que este personaje representa la lealtad, como virtud que sólo se encuentra en la gente humilde.

---

12. *Ibid.*, p. 142.
13. Eduardo Barrios, prólogo a *Del natural;* cita tomada de Arturo Torres Rioseco: *Eduardo Barrios*, Atenea, febrero, 1940, vol. 49, p. 213.

Interesan los tipos representados por Carlos y Gallardo porque ambos son gérmenes de personajes que el autor desarrollará plenamente en sus novelas posteriores. Carlos es el personaje que vencido por el ambiente escapa de la realidad y se refugia en su interioridad hasta convertirse en un sentimental introvertido: protagonista de *Un perdido* y de *Páginas de un pobre diablo*. Gallardo surgirá luego como el tipo "fuerte", un tanto fanfarrón y dominante que encontramos en novelas como *Gran señor y rajadiablos* y *Tamarugal*. El personaje más cercano a Gallardo es el teniente Blanco de *Un perdido*, aunque este último está mejor caracterizado y convence más como personaje.

La construcción de esta pieza es desigual, el conflicto envuelve a varios personajes y por lo tanto se desvía el centro de interés constantemente. Sorprende, sin embargo, la trabazón de incidentes que logran darle viveza y agilidad a este asunto corriente y vulgar. Los efectos de ambiente están bien diseñados y la obra convence tanto dramática como teatralmente. El diálogo es vivo, fluye reforzado por expresiones conversacionales y logra caracterizar atinadamente a los personajes, salvo en las exposiciones morales que pone Barrios en boca de Roberto.

Merecen señalarse, además, los efectos de teatralidad que emplea Barrios en la obra, el manejo de elementos exteriores que amplían el sentido de lo que ocurre en la escena y proyectan el acontecer dramático más allá del marco escénico. Esto logra darle a la obra mayor perspectiva de realidad y la llena de gran animación. Dos ejemplos son la bocina estridente del automóvil de los jóvenes ricos y la cancioncilla silbada por Canales. La primera es símbolo del tipo de hombre que ellos encarnan y la segunda representa la voz del pueblo humilde, la lealtad desnuda de toda hipocresía social, y es además un llamado para que estas mujeres procuren adaptarse a este nuevo medio en que les corresponde vivir ahora.

Una escena de gran efecto teatral y poético es aquella en la cual se muestran los recuerdos de familia guardados en una vitrina. Todo el pasado de la casa va desfilando en cada uno de los objetos. Esta escena ocupa el centro de la obra y es a la vez el núcleo de la trama. Todos los seres de aquella casa se sienten unidos afectivamente por cada objeto y es ese sentimiento la única virtud que les queda frente a la derrota.

La acción es mínima: en los tres actos transcurre un doble asedio de galanes y la aceptación final de que el futuro de las hermanas será el de las "niñas" de cincuenta años víctimas de las mismas "risitas hirientes y chistes que provocan los chistes alemanes". Crece la obra con una exposición lenta, muy propia para la ambientación y la atmósfera que pretende el autor, pero desciende con demasiada rapidez, dejándonos poco convencidos del crecimiento espiritual de los personajes.

### 4. VIVIR

Esta obra aparecida en 1916 es el último intento de Eduardo Barrios de hacer teatro. Esta pieza, mejor lograda que las otras, vuelve a insistir en el mismo tema: la sumisión de los seres de inferior categoría social a la jerarquía social establecida. A diferencia de las otras obras, la aceptación no aparece aquí como una derrota sino que se convierte en un acto heroico. Es la aceptación plena de la vida, sobreponiéndose al orgullo personal y liberándose del sentido de dignidad constituido por los convencionalismos sociales. Si los personajes de *Lo que niega la vida* aparecen en una etapa de vacilación e inseguridad frente a su destino, los personajes de *Vivir* se afirman en su posición y determinan valientemente su vida.

Como se señaló en el capítulo III al hacer el estudio de *Canción* (1912), *Vivir* resuelve dramáticamente la situación planteada en el cuento. *Canción* presenta el conflicto: Ramiro, joven soltero, venido a menos, conoce en Valparaíso a Olga, quien se enamora perdidamente de él. Ella que ha sido educada como una señorita rica tiene una falsa idea de su posición social. La abuela lucha desesperadamente por dar a la nieta la oportunidad de escalar una esfera social más alta. Ramiro, dominado por la indolencia propia de los tímidos, incapaz de aceptar la vida de lucha y de trabajo a la manera burguesa que su matrimonio con Olga le hubiera acarreado, la abandona y se va a Santiago.

En *Vivir* se continúa la acción del cuento presentando a la abuela que ha venido con Olga a Santiago en busca de Ramiro, a quien la muchacha ama en tal forma que no puede vivir sin él. La posición de Olga está presentada un poco a la manera romántica y un poco a la realista naturalista. De un lado, la extraña enfermedad que el abandono de Ramiro le produce parece un puro sentimentalismo romántico; pero desde el punto de vista de los demás personajes y del lector, su dolencia es una extremada ansiedad sexual despertada por la excesiva sensualidad de Ramiro. Este, por su parte, ha escogido el mejor medio para evadir su problema: se ha casado con una mujer rica. La abuela resulta un personaje patético, porque en su afán de satisfacer a Olga, recorre a diario las calles de la ciudad en busca de Ramiro; y más aún cuando se entera que se ha casado y continúa saliendo todos los días pretendiendo buscarlo, sintiéndose incapaz de confesarle la verdad a su nieta.

Estos tres personajes, la abuela, Olga y Ramiro están delineados con exceso de sentimentalismo y carecen de verdadera virtualidad humana. Barrios pretende distanciarlos del romanticismo, pero no lo logra totalmente.

El personaje mejor logrado de la obra es María. Su conflicto corre paralelo al de Olga, aunque de mayor trascendencia. Ella es más fuerte, plenamente ajustada a la realidad y, hace frente a su destino valientemente.

María, como Olga, ambiciona la felicidad en un ambiente que no le favorece, pero ella se ha hecho fuerte luchando sola y ha llegado a comprender que los principios que impone la sociedad "se van cayendo a cada encuentro con la vida". Todavía soltera a los treinta años, comprende que el amor, a la manera que se lo hicieron imaginar, es un puro sueño:

> "Después sabe una, si no es tonta, muy pronto, a qué atenerse. Falta la protección constante de la madre, y se empieza a vivir defendiéndose por sí sola. Entonces se aprende que le decían bonita por halagar a la mamá, y el porqué de esas miradas encendidas de los hombres, y el motivo de la obstinación con que le asedia a una este señor hoy y este mañana. Enseña mucho, don Roque, el tener que luchar sola." [14]

Martín, pintor de ideas positivistas como Gallardo, pero de mejores virtudes espirituales, recuerda al Roberto de *Lo que niega la vida*. Ama a María, pero rehúsa casarse con ella porque cree que el matrimonio mata el amor y por eso constantemente le pide que se convierta en su amante. Pero María, sin haber vivido las experiencias de María Rosa (*Lo que niega la vida*), ha llegado como ella a perder la fe en los hombres:

> "...las que como yo, no somos feas ni bonitas, pero podemos ser apetecibles, llegamos a sentir asco por los hombres." [15]

Pero en ella alienta el deseo de tener un hijo y así darle significación a su vida. Para ella el verdadero amor es el maternal. "Y más para qué...", confiesa en una ocasión, "es el amor: un hijo que no se acaba ni con la vejez, el que crece día a día". Por eso decide aceptar lo que le ofrece la vida y acude a Martín y acepta de él ese hijo, aunque le niegue la legitimidad del matrimonio. Esa aceptación de unas nuevas normas que no aceptan los demás con tranquilidad, pero que al fin son las únicas que le permiten vivir a una mujer que no quiere claudicar sus ansias de maternidad, es en María un acto de valentía. Ella misma confiesa lo siguiente:

---

14. Eduardo Barrios, *Vivir* en *Teatro escogido*, p. 55.
15. *Ibid.*

"Mi deshonra, la deshonra de una mujer insignificante, que no tiene a nadie; a nadie puede manchar. La gente dirá al verme: ¡Se perdió esa niña! o ¡Engañaron a esa niña!; y unos me compadecerán, otros me volverán la espalda. Yo sabré que no merezco esa compasión porque seré dichosa ya, y me alegraré que me vuelvan la espalda los que siempre fueron indiferentes... para que me abra en cambio los brazos un niño mío, con un tesoro de cariño, de ternuras cada vez mayores.
"¡Oh, yo seré feliz...!" [16]

Misia Matilde, la abuela aprende con ella a aceptar su decisión y comprende que ella también tiene que deponer sus principios para que Olga pueda vivir con lo poco que le ofrece la vida.

Esta obra igual que *Lo que niega la vida* carece de unidad de acción y de un personaje central. Acaso esto se deba al deseo del autor de darle mayor variedad y abarcar un panorama más amplio de la realidad, pero con todo esto el tema se diluye demasiado y los personajes se quedan un tanto desvaídos sin que logren definirse efectivamente. Del drama sentimental de Olga y Ramiro se pasa al conflicto de María y finalmente, a la tragedia personal de Misia Matilde. Los personajes van palideciendo a medida que la acción avanza: Olga y Ramiro quedan reducidos a meros recursos dramáticos; María, después de utilizarse para exponer el tema se debilita totalmente; Martín se utiliza apenas como medio de la realización del carácter de María y la obra cierra convirtiendo a la abuela, que hasta ahora era un personaje secundario, en la figura central.

Pero esta falta de unidad de la acción se subsana con la clara exposición del tema. En ambas obras, Barrios quiere presentar el discrimen social hacia la mujer chilena de principios de siglo. Por esto, le interesa traer a escena los varios aspectos del momento y recoge en cada una de esas situaciones una fase de la realidad. Esto hace que el tema central se descomponga en otros temas que, aunque importantes, podemos considerar como subsidiarios del tema central. Entre otros podemos señalar los siguientes: el amor, la pasión y el sentimiento erótico de la mujer en pugna con los convencionalismos sociales que restringen su realización; el sentimiento maternal y la dificultad de la mujer para lograrlo por pura voluntad natural; la posición de la mujer frente al hombre; la mujer como objeto de burla de los hombres y su imposibilidad para defenderse por la carencia de medios sociales reivindicadores; las estrictas barreras impuestas por la sociedad y la falta de medios dignos para que la mujer venida a menos pueda ganarse la vida decentemente. Junto a esos temas aparecen otros de vinculación con las ideas positivistas de fines de siglo XIX, como por ejemplo, el triunfo del materialismo sobre los

---

16. *Ibid.*, p. 100.

sentimientos y la dignidad humana, que sirven para presentar aspectos existentes en el ambiente de la época y, por lo tanto, completan la idea central.

*Vivir* y *Lo que niega la vida* son dramas íntimos de mujeres; pequeñas tragedias personales que pasan inadvertidas por los demás, que han de cobrar tanto relieve en el teatro de García Lorca en años posteriores. Pero el dramaturgo granadino ahonda más en la sicología de los personajes, logra una mayor intensidad dramática y descubre las posibilidades poéticas de esos conflictos.

Las protagonistas María Rosa, de *Lo que niega la vida*, y María, de *Vivir*, aunque no están plenamente logradas como caracteres, logran a veces intensidad en sus particulares conflictos y tragedias. En ambos personajes el autor expone sus ideas de repudio y rechazo a las normas de la sociedad de su tiempo. En María Rosa presenta el vencimiento doloroso, la humillación y la pérdida de toda esperanza; en María, en cambio, muestra la aceptación gozosa de la vida y la indiferencia frente a los convencionalismos esclavizadores de la mujer. De María dice el mismo autor: "personaje que recibió aquel ansiar (ansiedad del propio autor de tener un hijo que le reivindicara del cansancio de recorrer los caminos de la fortuna) y que preferí hacer mujer por razones literarias." [17] Acaso por esto, este personaje y su actitud frente a la vida le dan a la obra un aliento esperanzador y de honda simpatía, como en espera de que la sociedad aristocrático-burguesa chilena entienda y acepte los fueros de la vida.

El estudio del teatro de Eduardo Barrios nos ha convencido de que, aunque logra hacer teatro hispanoamericano que le ganó con justicia el aplauso del público de su tiempo, su temperamento de escritor corresponde al género de ficción novelesca. Es por eso que la acción de su teatro resulta dispersa, los temas demasiado abarcadores y los personajes un tanto descoloridos sin que logren destacarse como los protagonistas de sus novelas. La técnica narrativa de Eduardo Barrios se apoya mayormente en el punto de vista de la primera persona y acude principalmente al método del diario o las evocaciones para crear el mundo entero de sus novelas: el mundo íntimo del hombre. Esto resultaría imposible en el teatro a no ser que toda la obra fuese un largo monólogo por donde fluyese el conflicto interior del personaje y su particular visión del mundo y de la realidad.

Su atinado juicio le lleva a escoger y preferir la novela, género que mejor se aviene con su temperamento.

---

17. Eduardo Barrios, *Y la vida sigue*, p. 86.

## VII. LA TECNICA NOVELISTICA

Al situarnos frente a la novela como obra de arte, la célebre frase de Stendhal "la novela es un espejo que se pasea a lo largo de un camino" nos ha servido para orientarnos con certeza en su valoración artística. Al adentrarnos en el mundo que crea la novela hemos de buscar una nueva realidad rica en belleza que el escritor ha sabido recoger e interpretar.

Percy Lubbock compara la novela con la pintura; ambas no tienen de la vida nada más que un parecido. Comenta sobre el particular:

> "Una forma, un plan y una composición son tan necesarias en una novela como en cualquier obra de arte; la novela es entre todas ellas la que mejor posee estos tres requisitos." [1]

La novela es una creación ficticia, lograda mediante la imaginación, en que se inventa una nueva realidad parecida a la vida real. Esta "imagen de la vida" se construye mediante un plan determinado con el que el novelista selecciona lo más significativo de su experiencia, lo ordena y lo estructura para formar un mundo nuevo, imaginario, de arte en fin. Añade Lubbock que la novela crea muchas veces un mundo tan placentero que nos envuelve completamente y no podemos percatarnos de la forma, la estructuración, de la obra literaria.

La valoración artística, función del crítico y del lector consciente, indica hasta qué punto se puede esperar que el novelista se adueñe del ritmo de la vida para dar un mundo que se parezca al verdadero. Indica además, cómo ese espejo que es la novela logra recoger en una nueva perspectiva los hechos que registra la sensibilidad, seleccionados y reorganizados juiciosamente por el buen gusto y el fino sentido estético del novelista. En la distancia que media entre la realidad y este "espejo" está siempre la claridad mental y espiritual del novelista. El crítico al buscar los valores de la novela, irá encontrando también la calidad de la mente y la finura de la sensibilidad que la producen.

Cada fragmento del todo orgánico que es la novela: personajes,

---

1. Percy Lubbock, «*The Craft of Fiction*,» p. 9.

ambiente, atmósfera, acción y los medios expresivos empleados tales como vocablos, expresiones, metáforas, imágenes y otros, han de ir revelando un acontecer que es una "invención" realizada por una técnica. Los recursos técnicos que ha utilizado el novelista sirven para objetivar sus experiencias y descubrir en ellas materia de interés novelístico. La técnica sirve también para planear una estructura armónica y modular una expresión que registre limpiamente los hechos abstractos de su sensibilidad y de su sentimiento. A través de ella se desarrolla el tema y se construye el mundo de la novela en forma tal, que al adentrarnos en su comprensión, el mundo real se enriquece y renueva. El deleite es mayor cuando nos sentimos partícipes de la creación del artista al descubrir los recursos por él utilizados.

En Hispanoamérica varios escritores se han planteado la problemática de la novela como género de creación. Alfonso Reyes ha dado algunas ideas sobre la novela en varios de sus ensayos. Considera este género como un monólogo en que el novelista conversa consigo mismo y por lo tanto será difícil alcanzar el objetivismo e impersonalismo que pretende la novela realista.[2] Concha Meléndez comenta sobre el particular en su ensayo *Ficciones de Alfonso Reyes*:

> "Presenta en este ensayo (Estudio sobre *Cárcel de amor*) unas ideas sobre la realidad y la vida, que anuncian desde temprano la lucidez con que ha de ver siempre el problema del creador de ficciones, negando en ellas una realidad independiente del 'cristal con que se mira', que 'podrá existir, pero no es ni con mucho la que sirve al arte'. Anticipa un procedimiento que él mismo usará en algunas de sus ficciones: el autor —piensa— debe dejar a sus criaturas en libertad para que prosperen, pero él mismo puede ser espectador y agente de situaciones dentro de su novela."[3]

Ahondando en el valor de la novela como un medio que penetra más la verdad que la historia, Eduardo Mallea, novelista argentino dice:

> "Asombra verificar cómo fue la novela, la ficción, de adicta a la historia auténtica del hombre en la tierra, cómo lo acompañó en lo que vivió, cómo —siguiendo la pauta del espejo de Stendhal que se pasea por un camino para reflejar lo que ocurre— reflejó las grandes etapas de acomodación del ser en el planeta."[4]

E insistiendo sobre la función y sentido de la novela contemporánea continúa más adelante:

---

2. Alfonso Reyes, *Cárcel de amor — Novela perfecta*. En *Cuestiones estéticas*, ps. 67-89.
3. Concha Meléndez, *Ficciones de Alfonso Reyes*. En *Figuración de Puerto Rico y otros estudios*, p. 193.
4. Eduardo Mallea, *Notas de un novelista*, p. 123.

"La novela está directamente enfrentada con el problema del destino humano, lo que implica, no el conflicto del hombre con los dioses sino el conflicto de los hombres entre los otros hombres, y su problema ante la revelación y la eternidad. En esta eminente problemática del destino se asienta la novela contemporánea."[5]

Eduardo Barrios en una definición de la creación literaria, expone también su concepto de la novela. Dice así:

"He definido el arte así: es una ficción que sirve para *comunicar*, no la verdad misma sino la emoción de la verdad.

. . . . . . . . . . . . . . . . . . . . . . . . . . .

"Acerca de mi definición de arte no creo necesario insistir. Cuando más, pido en fijarse en que digo comunicar y no expresar. La expresión lisa y llana, por exacta y poderosa que sea, pertenece a la ciencia; comunicar y, aun contagiar, es misión del artista."[6]

A tono con la concepción de la novela moderna como reveladora de la lucha del ser humano por emanciparse de las fuerzas exteriores que lo acosan y no le permiten manifestarse en su propio ser, que crean en él un estado de angustia, de soledad, de aislamiento y de abulia espiritual, Eduardo Barrios quiere "comunicar" el mundo interior de hombres enclaustrados en su propia timidez que se debaten desventajosamente con un mundo que les es hostil y extraño. Sus novelas son confidencias íntimas, sencillas y desnudas, matizadas de una poesía interior.

Barrios es un observador del hombre y su intimidad que la mayoría de las veces no concierta con el mundo de las circunstancias y las multitudes. Paisaje y naturaleza aparecen en armonía y contraste con ese mundo interior, que en gran manera es el único verdadero. De ahí que le interesen los personajes dados a la reflexión, al análisis; los seres introvertidos, solitarios, fracasados, reconcentrados en su interioridad, la cual les crea unas normas casi siempre represivas que no le permiten llegar a la acción. Las ambiciones y ansiedades le batallan dentro y se exteriorizan en abulia, desidia e indiferencia. La racionalización y análisis de cada derrota los va hundiendo en la más perniciosa frustración.

1. ARTE DE NOVELAR

Cree Barrios que la cualidad más importante de un novelista es la intensidad con que experimente la vivencia íntima que desea comu-

---

5. *Ibid.*, p. 133.
6. Eduardo Barrios, *Y la vida sigue*, p. 86. (Nótese de paso que emplea los términos *expresar* y *comunicar* en forma exactamente opuesta a su empleo en estilística.)

nicar a los demás. Esa intensidad le ha de llevar a ahondar en el sentir común y lograr con ello una obra vigorosa. Comenta Barrios:

> "No importa sentir como todos los hombres, antes más bien conviene para ser universal Seamos intensos y nuestra obra será vigorosa siempre, aun cuando usemos ese medio que vulgarmente no se reconoce como vigoroso, el de la sugerencia alada e inapresable. Del resultado, de la resonancia que obtengamos en el espíritu del lector, sabremos cuánto vigor hubo en nuestra obra; no de la índole del tema ni del procedimiento." [7]

Creemos que el propio juicio de un novelista sobre la actitud que asume frente a sus obras es revelador en parte de su proceso creador e indica además la plena conciencia que tiene de su arte. Véase a continuación lo que Eduardo Barrios dice en relación con esto:

> "Como medida de higiene, jamás pienso en mis obras una vez publicadas. Huyo del engreimiento adulador. Tan pronto como he dado al público un libro, busco para leer una obra maestra, comparo, y mato el engreimiento. Hay que defenderse contra el éxito. En cambio, hecho este castigo higiénico, me convenzo de que en arte se es aprendiz hasta el último día, y fijo la vista en mis proyectos, con un deseo de esfuerzo que me acerque a las cumbres. 'Cómo llegaré a la montaña' —se interroga Zarathustra—. 'Sube y no mires atrás'. Sí; amar, vivir, crear, comprender, todo es un camino, y un camino que carece de meta." [8]

Interesan además sus juicios sobre la crítica porque también dan la justa medida con que Barrios admite la opinión ajena en su labor de novelista. Dice así:

> "La crítica, la opinión ajena, me interesa; pero no influye en mi labor sino en la medida mínima en que la visión de un inteligente contribuye a nuestra claridad interna. Y si los críticos no están de acuerdo con mi obra, me siento más dueño de mí..." [9]

Y continúa Barrios:

> "Parece que todos estuviéramos situados en sucesivos puntos de una elipse y que a mitad de nosotros nos iluminara o rigiese uno de los focos, y el opuesto a la otra. Por esto, nos dividiríamos siempre en dos bandos —al menos en dos bandos extremos o principales—; por la misma causa, sentiríamos con mayor plenitud lo propio y en seguida lo de nuestros vecinos. De aquí las afinidades y también esas negaciones rotundas de quienes abarcan con sus facultades un arco

---

7. *Ibid.*, p. 87.
8. *Ibid.*, p. 87.
9. *Ibid.*, p. 88.

de la elipse, para con aquellos que han su campo en el arco opuesto, ¿Quién no ha oído un artista de verdad negar que la obra de arte de otro artista quede en el terreno del arte? Sin embargo, en ocasiones, hemos considerado, desde nuestra posición diferencial, que ambos son artistas, aunque de orientaciones diferentes." [10]

En la concepción de sus novelas, Barrios como todo novelista consciente, adapta "mucho de lo vivido" y lo combina con lo observado en otros. De esa integración de experiencias vicarias y personales cuidadosamente trabajadas surgen los resultados específicos que crean los personajes, las sicologías individuales de cada ser, un determinado ambiente, una obra de arte en fin.

Toda novela está constituida por tres elementos principales: ambiente, trama y personajes. La labor del novelista consiste en darle forma y sentido a estos tres elementos novelísticos debidamente seleccionados y ordenados, concibiendo su obra como un todo armónico que aspira alcanzar categoría estética.

a. *Ambiente y atmósfera*. El mundo particular en que los hechos de una novela ocurren, circunscrito a un tiempo, a un lugar, a unas condiciones y circunstancias, se designa con el nombre de ambiente. El tiempo tiene tres dimensiones en el ambiente de una novela: la época particular en que los hechos ocurren, el tiempo de duración de los sucesos y por último, el tiempo vivido por el lector dentro del mundo de la novela.

La atmósfera es algo intangible que fluye de todo el ambiente y aun de la acción y de la caracterización de los personajes y crea un estado emocional particular en el lector. Está regida por el tono —actitud del autor frente a su asunto. En una novela bien escrita, la atmósfera puede llegar a confundirse con el tono.

Los novelistas y cuentistas hispanoamericanos a partir de fines del siglo XIX han enfocado el mundo de sus obras desde el plano de observación de los hechos reales. El campo y la ciudad con sus habitantes genuinos y sus particulares conflictos han sido las fuentes directas de donde han extraído el material de sus obras. Ofrecen la visión real de las cosas ajustándose a la verdad humana y las convenciones de paisaje y naturaleza.

Hay sin embargo, casos excepcionales de escritores para quienes la realidad externa es secundaria y se interesan primordialmente en ahondar en las zonas del espíritu en donde los medios de conocimiento son más sutiles y traspasan la mera observación directa para llegar hasta la pura imaginación e intuición.

Eduardo Barrios es uno de estos novelistas. El ambiente nunca ocupa en sus novelas un primer plano y en sus mejores novelas —las

---

10. *Ibid.*, p. 89.

de vida interior— no se encuentra nada que sea auténticamente chileno. Aun en *Un perdido* es donde aparecen los ambientes de Iquique, Valparaíso y Santiago; en *Tamarugal* que presenta la vida de una colonia inglesa en las salitreras del norte y *Gran señor y rajadiablos* que recoge el ambiente campesino del Chile del siglo XIX, siguen siendo principal centro de atención los conflictos interiores de los protagonistas.

*Tamarugal* es la obra que más parentesco tiene con las novelas realistas porque capta la vida azarosa y difícil en las salitreras, pero al final se revela que la atención de Barrios está fundamentalmente fija en resolver el conflicto sentimental de los protagonistas. Sin embargo, en su papel secundario el ambiente se destaca por la fuerza trágica de algunos episodios de la vida de los mineros en esa inhóspita región. Las ventiscas, la camanchaca, la ardua faena en la extracción del salitre y la estoica resignación de los mineros logran darle al ambiente un carácter particular. La época es la segunda década del siglo XX cuando aun el obrero, aunque consciente de la explotación de que es objeto, no ha logrado suficiente fuerza para el reclamo de mayor justicia social. A pesar de la atmósfera de tragedia que día a día lo victimiza —ya bajo las fauces de la máquina moledora del mineral o aplastado por las rocas que revienta la dinamita—, la confraternidad, la mansedumbre de los obreros y la ingenua alegría que los alienta en sus horas de asueto, dan a la obra el aire de primitivo encanto de las vidas sencillas y candorosas de la literatura bucólica.

La visión de la ciudad que Barrios presenta en *Un perdido* es, en general, subjetiva —una atmósfera de soledad y desamparo deprimente—; se ve la ciudad a través de la hipersensibilidad de Lucho Bernales el protagonista. Lucho se siente rechazado por la sociedad y recurre al ritmo íntimo de su alma donde se crea un mundo aparte, o recurre a los antros del bajo mundo donde los seres que allí conviven, no tienen las exigencias de la rancia sociedad burguesa de la ciudad. Entre ellos se siente más fuerte y sueña con el acto heroico de salvarlos de aquel ambiente.

A través de una serie de imágenes y metáforas logra Barrios crear la atmósfera de sordidez: los garitos abren su puerta, "*hueco negro y vil*" por donde la "*voluntad ausente y nula*" se deja arrastrar hasta el "*cubil apestoso*" donde bulle la "*carne famélica de vagancia y podridero*". Los prostíbulos de Iquique eran como "especie de círculo adonde todas las noches van a parar la mayoría de los hombres porque las meretrices de allí son mejores que en ninguna parte". Los hombres vienen de lejos, las aman y encuentran en ellas el calor femenino dejado en el hogar distante. Lucho también está distante, distante de la realidad, y los frecuenta, especialmente de día cuando es "como una familia de muchas niñas que se entretienen juntas, en labores domésticas o jugando, con frecuencia discurriendo sobre cosas ligeras, sentimentales y amables". Allí, la débil personalidad de Lucho que siente menosprecio por el corazón masculino, busca la muelle amistad de estas mujeres "cuyos corazones un tanto simples acordaban mejor con el suyo". Los burdeles santiaguinos son más sórdidos: la prostitución industrializada que produce la hembra procaz que se burla de la ternura y exalta la potencia del sexo.

El paisaje se ve también a través del protagonista, y ese modo de verlo sirve para caracterizar mejor su particular temperamento. Así vemos el paisaje de Iquique: el puerto bajo el sol en sus afanes de comercio, la trepidación de las locomotoras y el vaho repugnante de tantos olores juntos; el "caserío de madera, chato, color barro, desparramándose sobre la de arena que se estrecha entre el mar, las dunas y los montes yermos de la meseta salitrera"; en fin, la impresión general de la ciudad es un "conglomerado ingrato a los sentidos y hosco al espíritu, que parecía entumecerse arropado en una bruma sucia como el harapo del cielo invernal".

El paisaje en Santiago es generalmente nocturno o de atardecer en donde con imágenes de luz y obscuridad Barrios va creando la atmósfera perniciosa y enfermiza en que se va hundiendo el protagonista: calles pardas orilladas de álamos que "como hilera de monjes fantásticos, encapuchados y penitentes" se aprietan hasta apenas dejar asomar la luna; "un cielo muy alto limpio y constelado" y abajo uno de esos fríos nocturnos de agosto que sobre las costillas muerde las carnes, encorvan las espaldas:

> "...ponen el espíritu inmóvil, apenas sarcástico y dispuesto a reír de esa vida indomable y absurda en la que todo viene determinado desde los siglos de los siglos, para marchar a la muerte, a la muerte de los hombres, de las razas y de los mundos." [11]

A veces ligeros visajes esplendorosos del paisaje se compenetran en el espíritu del personaje hasta irlo despersonificando y su alma se diluye en el ambiente. Veamos un instante en que Lucho Bernales observa el puerto de Iquique bajo el sol:

> "En Luis iba perdiéndose la personalidad. La dominación que ejercen los tornátiles aspectos de la luz le ha ido diluyendo el alma en el ambiente. Ya no es en él, es una nota tremolante en la inmensidad encantada." [12]

En *Gran señor y rajadiablos* aparece el ambiente campesino chileno de fines de siglo. En esta novela, a pesar de ser la obra en que Eduardo Barrios se acerca más al criollismo, el ambiente no tiene

---
11. Eduardo Barrios, *Un perdido*, p. 283.
12. *Ibid.*, p. 80.

un papel preponderante. Barrios se sirve de él para la caracterización de José Pedro Valverde: justa personificación de la época. Todos los elementos se subordinan para darle relieve a este personaje que es el centro de atención de la novela. La visión del campo es panorámica y solo se detiene cuando quiere destacar alguna particularidad de su protagonista. El habla pintoresca saturada de chilenismos, refranes y expresiones ingeniosas del huaso; sus faenas agrícolas: la doma de caballos, el arreo de las reses, el trasquilar ovejas, los trabajos de herrería y de siembra del trigo, la trilla de sementeras, el rodeo, las matanzas y salazón del charqui,[13] la siega, y la desgranadura de maíz; y por último, sus costumbres y diversiones sirven de marco escénico y ambiental al desarrollo de esta personalidad que representa el "gran señor", amo, jefe y cacique de las tierras campesinas chilenas. Es el hombre que con individualismo heroico ayudó a organizar el orden y la justicia en el país. Es José Pedro Valverde uno de los últimos caciques rurales que se levantaron para defender con sus propias manos el respeto a la propiedad privada y el derecho a una vida ordenada y pacífica frente al pillaje y la corrupción de las autoridades.

La visión del paisaje es esporádica y casi siempre trazada con pinceladas impresionistas. De igual manera que Rómulo Gallegos y Ricardo Güiraldes, Barrios presenta asomos hermosos de la naturaleza en una prosa de gran aliento poético:

> "observaban ellos la luna, que se había rezagado por el cielo desvanecido de la mañana. Un instante, viéndola rodar tan blanca sobre aquella palidez tan lila, prendió en el pecho del mozo vaga emoción de recuerdo, de suspiro y de mujer";
>
> "el cielo mata de jazmines innumerables, latía, y el alma era también un lado sensual del universo";
>
> "alto y limpio, el cielo abre hacia arriba el paisaje; porque abajo la tierra se ha ido velando por las sombras";
>
> "noches de otoño, con pocas estrellas. Limpio y semiazul, da el cielo sensación de pupila despierta sobre la llanura";
>
> "en el sendero, allí delante de don José Pedro, se ve de rato en rato venir una golondrina azul. Traza su vuelo en la comba del espacio a la tierra, cruza veloz, a escasos dedos del suelo, y de nuevo desaparece arriba; todo en silencio."

En las novelas de vida interior: *El niño que enloqueció de amor, El hermano asno* y *Los hombres del hombre*, el ambiente y la atmósfera tienen un grado más alto de lirismo. La realidad se reduce a sólo aquello que capta la fina sensibilidad del personaje: impresiones sensoriales muy sutiles, nacidas de su hipersensibilidad, altamente poe-

---

13. Carne de res que se seca al sol para conservarla.

tizadas y que no son en ningún momento una interpretación objetiva. Lugares y seres, paisajes y cosas transitan por las páginas de los diarios —forma narrativa de las tres novelas— en un diáfano impresionismo, como celajes que nacen de ese doble mirar hacia dentro y hacia fuera y que no sólo dan la impresión de la naturaleza sino también la huella anímica del personaje. Hay, pues una doble perspectiva ambiental: el mundo interior y la realidad exterior. Ambas se condicionan y se alteran mutuamente. La contemplación de la naturaleza muchas veces hunde al protagonista en su mundo íntimo y lo lleva a la reflexión y al autoanálisis; otras veces el alma del personaje se identifica y se funde con el paisaje.

En *El hermano asno* se crea la atmósfera de silencio y recogimiento propio de un convento franciscano: claustros callados cuyas arcadas recortan la luz en sesgos de claridad y sombra; las aromas naturales del huerto que se mezclan con las emanaciones corporales de los monjes y el olor desvaído de los objetos viejos; lejanos ruidos exteriores que se funden con el bisbiseo de los rezos. Los colores son generalmente desteñidos y fríos: el verde oliva, el púrpura envejecido, el azul pálido, el blanco, el pardo y el gris. Son el pardo y el gris los colores que predominan y dan la tónica general de la atmósfera y a la vez son un correlativo objetivo del conflicto interior de los personajes. Los colores brillantes como el oro, el dorado, el amarillo aparecen en ocasiones en que se quiere destacar lo deslumbrante de un lugar en determinada situación, la iglesia en un domingo de misa matinal.

Barrios utiliza a menudo el procedimiento de la transposición de arte, corriente en el modernismo, en que se crea la atmósfera y el ambiente de una escena describiendo o haciendo una réplica de un cuadro que el autor ha visto. Constantemente algunas escenas de *El hermano asno* hacen recordar al Greco y a *Las Florecillas* del Giotto. Véase un ejemplo de una escena en que se presenta a Fray Rufino:

> "Estaba solo e inmóvil, en un claro de luna, puesto el capuz, la cara al cielo y con los párpados caídos, las manos en cruz y sobre el pecho. La luz de la luna torcía contra el muro la sombra de la arcada, descubría en la negrura de un cuadro dos piernas con llagas, un cráneo mondo y una paloma entre rayos, y a él lo revestía de cielo."
>
> (*El hermano asno*, p. 114)

El impresionismo con sus imágenes de sonido, color y luz contribuye a la creación de atmósfera como se puede ver en los siguientes ejemplos:

> "Ha salido el sol, el hermano sol, después de varios días de aguaceros, y baja de los tejados al jardín como una pendiente de oro y despreocupación."
>
> (*El hermano asno*, p. 107)

"Mire como entra el 'hermano sol' por la ventana. Desenvuelve una estera de oro en el suelo. ¿Ve usted? Cuadrada y perfecta. No, es más bien un tapiz, y esas sombras fugaces que afuera dibujan los pájaros en el aire ponen los arabescos."

(*El hermano asno*, p. 83).

"...a donde la luz de la calle alcanza por sobre la pared y convierte la bruma en un claro vapor azul."

(*El hermano asno*, p. 92)

"El cristal de una ventana prende un lampo verdoso allá en una fachada."

(*El hermano asno*, p. 70)

"Una ráfaga viene a estrellarse contra el suelo, rebrinca entre los terrones y, arrastrándose, va y choca en la caseta."

(*El hermano asno*, p. 94)

"Un bisbiseo continuo enrédase en los bancos, salpica las lozas, agita como una efervecencia la penumbra."

(*El hermano asno*, p. 73)

Veamos también ejemplos de esos momentos en que el protagonista se diluye en el paisaje y ambas perspectivas ambientales —la interior y la exterior— se funden:

"Yo sentía el color sobre mi brazo, sobre mi nuca."
"El sol toma posesión de mi cuerpo."
"El agua delgada y casta entró en mi boca, bañó mi pecho y llegó hasta mi corazón."

Casi todas las novelas de Barrios están enmarcadas en el siglo XX. Indirectamente, aludiendo a veces a hechos contemporáneos como: la publicación de *El niño que enloqueció de amor* (*El hermano asno*); los automóviles (*Los hombres del hombre*) y la extracción del salitre en Chile por compañías inglesas (*Tamarugal*). Solamente *Gran señor y rajadiablos* evoca un pasado histórico: la transformación de Chile a fines del siglo XIX. En ningún momento el autor se preocupa por dar una cuenta cabal y exacta del tiempo que transcurre en la duración de la novela. El planteamiento y progresión del conflicto de los personajes es lo que condiciona la duración de la acción.

Barrios se interesa principalmente en señalar la progresión ascendente del conflicto interior del personaje. Por eso en raras ocasiones se ve la alusión material al tiempo, y cuando esto ocurre, siempre se hace en relación con el problema emocional planteado en la obra. Siete años lleva Fray Lázaro en el convento sin que haya podido alcanzar la serenidad franciscana. Esto lo deja saber en su diario al comenzar la obra. Luego el relato se apoya en circunstancias cotidianas, se menciona la hora, el momento del día y así terminamos por despreocuparnos del tiempo y atender solamente al avance del conflicto interior. En el comienzo del diario, el protagonista de *Los hombres del hombre* confiesa que por cien días ha venido sufriendo el doloroso tormento de una duda infranqueable, pero luego de igual manera que en *El hermano asno*, la exactitud del tiempo no interesa.

En novelas como *Gran señor y rajadiablos* y *Un perdido*, cuyos asuntos están más cerca de las novelas realistas, se encuentran referencias al tiempo un poco más concretas, pero siempre en términos poco precisos:

> "se pierde la cuenta gris de los días." [14]
> "A Marisabel se le deslizaba entre intimidades el tiempo;" [15]
> "se va marcando el calendario con novenas, cuaresmas y misas por difuntos." [16]
> "Los días empezaron a rodar en el caserón." [17]
> "Se deslizaron varios años. ¿Fueron tres, cuatro, cinco? Fueron de los que ni se cuentan, ni se miden, ni se marcan, porque de su curva no irrumpen muy notorios acontecimientos." [18]

b. *Los personajes*. La novela ordena su material en torno a sus personajes. En los conflictos, actitudes y formas de conducta de éstos, van debidamente acomodados el tema central de la obra, la ideología del escritor y su visión particular del mundo.

En torno al arte de crear personajes François Mauriac opina que los héroes y heroínas de las novelas nacen de las nupcias del novelista con la realidad. Son éstos, hijos en los que se proyectan hacia fuera las emociones, sentimientos, preocupaciones e ideas del autor y que toman de la vida real solamente los lineamientos principales. Añade Mauriac:

> "Nosotros ampliamos con nuestro yo, o parte de nuestro yo, las formas que nos proporciona la observación y las figuras conservadas por la memoria." [19]

Son los "sigomismos" que conviven dentro del escritor y que de acuerdo con Unamuno le sirven para crear personajes.

Si el novelista queda atrapado en sus propias experiencias y se vuelca íntegro en sus personajes, éstos no cobrarán vida propia y

---

14. Eduardo Barrios, *Gran señor y rajadiablos*, p. 94.
15. *Ibid.*, p. 335.
16. *Ibid.*, p. 336.
17. Eduardo Barrios, *Un perdido*, p. 45.
18. Eduardo Barrios, *Op. cit.*, p. 288.
19. François Mauriac, *El novelista y sus personajes*, p. 22.

jamás llegarán a ser seres de ficción, de arte, porque siempre se verá la personalidad del autor, como un tutor, detrás de cada uno de ellos.

Los verdaderos personajes novelescos, tienen una humanidad hecha a imagen y semejanza de los seres de la vida real, pero no tienen carne ni hueso porque son una trasposición de la realidad, hábilmente modificada y estilizada por el novelista. Asegura Mauriac:

> "Por eso, por dotados de vida que nos parezcan estos héroes, todos ellos tienen siempre una significación; su destino, entraña una lección y de ellos también deriva una moral que no encontramos jamás en un destino real, siempre contradictorio y confuso." [20]

En casi todos los protagonistas de Eduardo Barrios nos parece encontrar al autor. Esto se debe en gran parte a que el novelista, en su afán de ahondar en las profundidades del alma humana, satura de sus propios sentimientos a sus personajes. Hay tal grado de subjetivismo en los relatos que casi todos ellos parecen puras confesiones íntimas, y productos de una visión muy personalísima del mundo y de las cosas. Además, el método de narración que escoge en casi todas ellas —el diario— contribuye a esa identificación del novelista con sus personajes. Pero los personajes de Barrios quedan siempre libres de toda tutela, y son más bien desdoblamientos de su propia personalidad. El mundo interior de ellos queda perfilado no sólo por el conocimiento que del espíritu humano tiene el autor, sino también por el conocimiento que ha derivado de experiencias vividas por él y las observadas en los demás. El mismo Barrios niega el carácter autobiográfico que le han atribuido a sus obras. Sobre el particular observa Carlos D. Hamilton:

> "Los críticos han insistido en el carácter autobiográfico de las novelas de Barrios. Hasta el punto de llegar algunos a negar que la obra del novelista chileno contenga más psicología que la del autoanálisis. Es claro que algunas experiencias del autor son trasladadas a sus personajes; pero no hay que olvidar que el primer laboratorio, acaso el único cierto, de observación psicológica de los otros, sea el propio autoanálisis." [21]

En relación con la concepción de los personajes Barrios dice:

> "Todo está en que nos alumbre el amor. Entonces acertaremos. El novelista, cuando nos describe una vida interior, también así procede: amándola descubre la entraña del laberinto y su figura se levanta y anda, viva de toda humanidad." [22]

---

20. *Ibid.*
21. Carlos Hamilton, *La novelística de Eduardo Barrios*, Cu. A., En.-Feb., 1956, p. 283.
22. Eduardo Barrios, *Los hombres del hombre*, ps. 118-119.

Eso explica que sus personajes surjan de una actitud que asume el autor frente a la vida, actitud que nace de una reflexión muy íntima en la cual el sentimiento siempre triunfa sobre la razón. Ese sentimiento tiene dos fuentes: el amor y la belleza, y en esos dos conceptos queda resumido el credo estético de Barrios para la concepción de sus personajes. El amor le sirve para analizar el alma de sus personajes sin destruirla, sino más bien creándola en sus valores esencialmente humanos; y la belleza para descubrir todos los efectos estéticos que se desprenden de esa vivencia íntima que el novelista desentraña.

La caracterización de Eduardo Barrios es la presentación de un alma en conflicto y toda la novela gira en torno a ese común centro de interés: el mundo íntimo del individuo en desarmonía con la realidad exterior. Algunas veces este conflicto es más complejo y otras, sólo consiste en el análisis de un sentimiento particular —la duda *(Los hombres del hombre)*, la antipatía *(La antipatía)* y la amistad *(Como hermanas)*. Barrios caracteriza a sus personajes casi siempre indirectamente, es decir, el personaje se va conformando por medio de sus actos, palabras y pensamientos. Son muchos de ellos personalidades estáticas, fijas, ya hechos, a quienes los acontecimientos no hacen cambiar sino, por el contrario, destacan su particular manera de ser.

Los personajes de Barrios pueden clasificarse en dos grandes grupos. Al primero pertenecen el tipo sentimental, el hipersensible, el tímido y el frustrado; y al segundo corresponden los seres fuertes, vigorosos de "vida animal" destinados al triunfo. Sobre el primer tipo y apoyándose en *Un perdido*, Angel M. Vázquez Vigi ha hecho un interesante estudio en que relaciona la personalidad de Lucho Bernales, el protagonista de la novela, con el tipo esquizotímico estudiado por Krestchmer, el siquiatra alemán.[23] Hasta dónde conoce Barrios todas estas teorías sobre la conducta sicológica del sentimental, es cosa que no podemos nosotros determinar y que no interesa a nuestro estudio.

Al primer grupo pertenecen casi todos los protagonistas de las novelas de Barrios como ya hemos indicado en nuestro estudio correspondiente de las diferentes obras en capítulos anteriores.

Del segundo grupo a veces se destacan algunos en carácter de protagonistas, tales como José Pedro Valverde *(Gran señor y rajadiablos)*, Jesús Morales *(Tamarugal)* y el protagonista del cuento *La antipatía*. La generalidad de las veces se usa para caracterizar a los personajes secundarios y son a manera de antagonistas que por ser "seres confiados en la vida, felices con su suerte, seres con vocación

---

23. Angel M. Vázquez, *El tipo sicológico de Eduardo Barrios y correspondencias con las letras europeas*, Rev. Ib., Vol. XXIV, Julio-Dic., 1959, p. 265.

o ductilidad para todas las carreras que por lo general los hombres adoptan",[24] se hallan opuestos a los del primer grupo. Entre éstos se encuentra Anselmo el hermano de Lucho quien tranquilamente se casa con la mujer que éste secretamente ama *(Un perdido)*; Fray Elías, quien cree que se debe servir a Dios como hombre *(El hermano asno)*; el teniente Blanco, quien logra entender el conflicto entre Lucho y su padre, porque aunque sentimental ha llegado a vencerse a sí mismo *(Un perdido)* y los hermanos mayores del niño que enloqueció de amor en la novela de ese mismo título.

La caracterización de los personajes secundarios aunque a veces está lograda con toques de gran ternura y poesía, en muchas ocasiones acude a la caricatura. La visión caricaturesca de esos seres revela la poca simpatía que siente Barrios por ellos.

Las heroínas de Barrios son generalmente románticas, sentimentales; sometidas silenciosamente a su destino. Entre otras podemos mencionar a Rosario, quien se somete a la suerte que el padre y el marido trazan para ella *(Un perdido)*; Charito, la hermana mayor de Lucho, poco agraciada, sometida al capricho de sus parientes ricos *(Un perdido)*; Chepita, victimizada por el amor apasionado de Valverde quien la rapta y la expone a las inclemencias de una región inhóspita donde muere en su primer alumbramiento *(Gran señor y rajadiablos)*; Marisabel, la silenciosa y enamorada esposa del cacique Valverde que soporta los devaneos de su marido *(Gran señor y rajadiablos)* y Olga, quien enferma de pasión por un joven que la evade temeroso de la estrechez y las limitaciones de un matrimonio pobre *(Canción)*.

Raras veces se encuentran mujeres fuertes como Misia Gertrudis, la abuela de Lucho, quien se "bajaba de la estirpe" y se defendía de las injusticias con no muy angélicas expresiones; Teresa, la hembra vividora de *Un perdido;* Carmela la mujer lista y hábil que sabía transar con los bandidos *(Gran señor y rajadiablos)* y Beatriz, la esposa reposada y contenida de *Los hombres del hombre*.

Barrios se destaca como retratista de tipos. Los pinta usando la técnica pictórica, tratando de revelar su condición espiritual mediante la expresión de los rasgos físicos. Los retratos de los hermanos legos y de los frailes menores en *El hermano asno* resultan inolvidables, a pesar de no destacarse demasiado en la obra. Veamos los retratos de dos personajes tipos de otra obra:

> "En esto llegó un tipo rechoncho, de ojos saltones, muy lampiño, de barriga tirante dentro de un chaleco de fantasía color de melón y con mucha gamuza blanca en el calzado. Se acercó ceremonioso, frotándose las manos para lucir los descomunales brillantes de cada

---

24. Eduardo Barrios, *Un perdido*, p. 172.

meñique. (El desvergonzado marido de una de las tiples de la zarzuela)."[25]

"Bajo la ropa se le adivinaban carnes blandas y felinas. Sus ojos verdes acusaban indiferencia, capricho interesado, veleidades cínicas, hijas del aburrimiento. Lucía muchas peinetas, mal cubiertas por el sombrero, y las enormes esmeraldas rodeadas de brillantes que le pesaban en las orejas y la profusión de sortijas decían de ese prurito de las mujeres de teatro de cargar encima todas las ganancias. (La mujer del tipo anterior)."[26]

En términos generales tenemos que convenir que los personajes de Barrios son esencialmente vehículos de sentimientos hondos y complejos, que muestran su angustia interior. Son seres que no saben adonde van; que tienen una visión del mundo tan personal que no les permite ajustarse al mundo de los demás y son por ello, seres de soledad, llenos de dudas, temores y zozobras. *El niño que enloqueció de amor*, Lucho Bernales, Fray Lázaro, Fernando, Ramiro, José y otros, tienen el poder de arrastrarnos hacia su particular mundo de dolor e incomprensión.

c. *Recursos de narración*. El cuento y la novela son géneros esencialmente narrativos y aunque se acude en ellos a otras formas del discurso como la descripción y la exposición, será la narración el medio más eficaz para el desarrollo de ambos géneros. El interés principal de estos géneros es absorber la atención del lector y conducirlo al mundo particular de la ficción. Pretende generalmente el narrador actualizar los sucesos en tal forma que el lector crea que ocurren mientras lee. Para lograr esto, el novelista acude a todos los medios disponibles para así mantener el interés de su relato de principio a fin. Un buen novelista siempre es diestro en estos recursos narrativos.

El punto de vista es uno de los aspectos más importantes en una novela o cuento. Es la mente en que se coloca el narrador para desde allí enfocar y observar todas las situaciones que han de conformar el tema que va a desarrollar. El punto de vista narrativo puede ser en tercera o en primera persona, dependiendo de la mente a través de la cual se presente la acción. En la tercera persona puede aparecer el autor como un ser omnisciente sin limitación de tiempo o espacio, o como un observador. La primera persona nos pone el relato en boca del protagonista, de un personaje secundario o de un mero observador. Un novelista hábil sabrá escoger el correspondiente punto de vista que conviene a su relato y así la calidad de las escenas con

---

25. *Ibid.*, p. 78.
26. *Ibid.*, p. 79.

que crea las situaciones y el carácter de la acción que desarrolla quedarán bien logrados.

Eduardo Barrios escoge con acierto el punto de vista. Generalmente sus narraciones en primera persona, tienen la apariencia de una confesión y sirven excelentemente al propósito del autor: sondear el fondo interior de sus protagonistas.

En solo tres cuentos y una novela, *Tamarugal*, la narración se hace en tercera persona con la desenvoltura del autor omnisciente que ve por dentro y por fuera a sus personajes y cala muy hondo en sus conflictos. En estos relatos en tercera persona utiliza una inteligencia central a través de la cual vemos desarrollarse los acontecimientos. Esta inteligencia central es un "personaje ventana" que el novelista utiliza paar centralizar mejor todo el acontecer y al mismo tiempo ayudarnos a percibir el tono particular que él quiere impartirle a su obra. En *Tamarugal* Jenny es esa inteligencia central y Barrios la utiliza para interpretarnos a través de ella el ambiente de esa pequeña colonia inglesa de las salitreras del norte, y el proceso de ajuste físico y emocional a ese tipo de vida comunal.

En *Gran señor y rajadiablos* Barrios utiliza la técnica de memorias. En una breve introducción el novelista evoca la figura del viejo José Pedro Valverde en uno de los momentos de su vida —la escena en que ya viejo hace frente a la autoridad del gobierno—, interrumpe el relato, y dice la forma narrativa que ha de seguir su novela:

"Mas ya vendrá esta ovocación, en su turno, como tantas otras."
"Porque toda entera, como si fuera mía, puedo evocar la vida de aquel hombre..."

Y continúa más adelante:

"Tanto anduvieron mis pasos sobre sus pasos, que hoy ocultándome yo, desapareciéndome de todo escenario, fácil me resultaría sentirme su mero espejo. Nadie como yo habría de comprenderle hasta la identificación; porque admirar y querer a un ser humano, vituperarlo y sufrirlo, compadecerlo en algunas ocasiones, reír de él en otras, y hasta odiarlo antes de perdonar sus faltas, todo ello junto hace la comprensión perfecta." [27]

Retrocede entonces en el tiempo y nos presenta la vida del héroe en cinco evocaciones que recogen los momentos más importantes de su vida. Algunas veces pone en boca del protagonista el relato de los incidentes de su vida, pero generalmente, la narración se hace en tercera persona y se analizan omniscientemente los procesos mentales del protagonista.

---

27. Eduardo Barrios, *Gran señor y rajadiablos*, p. 10.

El cuento *Papá y mamá* utiliza convenientemente la forma dialogada porque todo el interés del cuento recae en la conversación entre los dos niños que juegan papeles de adultos.

Predomina en Barrios el método del diario. Sólo un diario puede recoger las intimidades de esos seres aislados que no se comunican con nadie. En este diario confidente, vierte el protagonista toda su identidad y al interpretarlos da al mismo tiempo su personal visión del mundo. Como todo el relato está interpretado por el protagonista, el lector ha de enjuiciarlos primero y luego colocar los hechos que conforman la trama en su justo lugar y dimensión, y así llegar al sentido cabal de la novela. Ejemplo de esto es *El hermano asno*, en donde todo el mundo de la novela está interpretado por Fray Lázaro.

En la concepción novelística de Barrios el conflicto interior del hombre es el hecho más importante. La trama es generalmente sencilla y en algunos casos apenas si hay acción exterior. La acción externa —el suceder en el tiempo y en el espacio— se reduce a lo absolutamente necesario para motivar el acontecer de índole espiritual y subjetivo. A Fray Lázaro le bastan los hechos cotidianos y corrientes de la vida conventual para revelar su doloroso mundo interior: la lucha entre su pasado mundano y su actual vida de religioso, la lucha con su razón analítica de intelectual que no le permite entregarse plenamente al espíritu de santidad franciscana.

El marcado relieve que tiene la acción interna sobre el acontecer exterior le da a sus relatos un tono particular y los sitúa dentro de las novelas de introspección sicológica. Utiliza Barrios en estos diarios el recurso del "monólogo in mente", especie de soliloquio escrito en que el protagonista analiza, enjuicia y revisa su vida presente y pasada y le lleva a la vez a confesar su disgusto, abulia e impotencia frente a la realidad.

En *El hermano asno*, *Los hombres del hombre* y *El niño que enloqueció de amor* el diario que sirve de método para hilvanar todo el relato no tiene fechas, como si el tiempo material no importara. En las dos primeras novelas ni siquiera revela el origen o procedencia de esos diarios dando la impresión de una especie de omnisciencia con que el autor tiene acceso al mundo interior de sus personajes.

El recurso de retrospección que permite, rompiendo la secuencia cronológica, presentar sucesos del pasado, lo utiliza Barrios de acuerdo con la particular estructura del relato. Este recurso aparece en las novelas de Barrios esporádicamente y se utiliza para presentar los antecedentes de la novela, siempre motivado por un hecho del presente que hace al protagonista tener un breve recuerdo del pasado. Por ejemplo en *Los hombres del hombre*, los sonidos de una gota de agua al caer en la noche ayudan al protagonista a recordar las relaciones de su mujer con Charles Moore. De igual modo, en *El hermano asno*, el pasado de Fray Lázaro se trae al presente motivado por la presencia de María Mercedes, quien le recuerda a la mujer de su pasado. Todos los antecedentes de la vida pasada de Fray Lázaro van apareciendo gradualmente a lo largo del diario, evitando la monotonía de una exposición demasiado larga que rompa la estructura armónica del relato. Desde el comienzo del diario se empieza a aludir al pasado con la mención de 'aquel descalabro" de su vida mundana. Luego la aparición de María Mercedes y su amistad con ella, hacen que se vayan completando todos los antecedentes mediante las conversaciones que evocan el pasado.

Este personaje de María Mercedes está hábilmente trabajado. No solamente lo emplea Barrios como motivador de la retrospección al pasado sino que lo maneja con cuidado hasta convertirlo sorpresivamente en el elemento solucionador y provocador del clímax de la novela.

Barrios siempre narra esas escenas retrospectivas en forma presentativa y esto contribuye a retener la atención del lector.

El centrar el interés de la novela no en los acontecimientos sino en los personajes, y particularmente en su conflicto interior, contribuye a que sea ese particular conflicto el foco o centro de interés de la novela. La extraña pasión amorosa de *El niño que enloqueció de amor;* la lucha por alcanzar la simplicidad y la serenidad franciscana en *El hermano asno;* la duda punzante sobre la paternidad en *Los hombres del hombre;* el complejo de la fealdad en *Pobre feo* y el análisis del sentimiento de la repulsión que sentimos por algunos seres en *La antipatía* son los focos concentradores de esos relatos. Al terminar de leerlos recordamos principalmente esos conflictos y en ocasiones cobran tal relieve que los aislamos de los personajes.

El cuerpo de sentido de la novela en Barrios se realiza de modo perfecto. La trabazón de los incidentes y la selección y ordenación de los elementos del relato, manejados con un total dominio de la suspensión de interés, llevan sin estruendo al punto culminante y al descenlace de la obra. La escala se ajusta en equilibrio para lograr la realización del tema en todos los elementos de la obra: personajes, ambiente y atmósfera. Esta realización de sentido y de arquitectura, que dan a la novela una unidad de verdadera obra de arte, es en Barrios uno de sus mayores aciertos como novelista.

Ese interés en unir la estructura temática o de sentido y la estructura arquitectónica lleva a veces a Barrios a utilizar un lema o una imagen, en la introducción del relato, para iluminar el sentido total de la novela. En *El hermano asno* aparecen como lema los siguientes versos de Amado Nervo:

"¡Oh, soñado convento
donde no hubiera dogmas
sino mucho silencio!"

Y comenta el autor sobre como parecen estos versos en el diario de Fray Lázaro:

> "Sobre la primera página de este manuscrito, con una tinta muy aguada y en caracteres diminutos, como si Fray Lázaro lo hubiera querido decir al oído."

El espíritu poco monacal de Fray Lázaro, de temperamento artístico y sensual, no puede menos que identificarse con el deseo de Nervo: buscar el silencio que lleve al libre regodeo interior y a las puras veleidades del espíritu.

En *El niño que enloqueció de amor*, una hermosa imagen que ya hemos explicado en el capítulo III sirve para aclarar el tema.

La escena pictórica y la escena dramática hechas en forma presentativa son otros recursos de narración que utiliza Barrios. Este tipo de escenas pertenecen a la técnica de concentración de espacio y son opuestas a las escenas panorámicas que presentan una visión muy amplia del ambiente. La escena dramática —escena realizada mediante el diálogo— le sirve para actualizar los acontecimientos y para motivar los diversos grados de preocupación espiritual en el ánimo del protagonista. Unas veces el protagonista interviene y otras es un mero espectador que las comenta e interpreta para el lector. Generalmente introduce la presentación de una escena dramática con un breve comentario que crea la suspensión de interés, como por ejemplo: "No sé para qué anoto esto."[28] "Jamás me hallé ante dificultad mayor para narrar una escena."[29] "Ha sido absurdo. Ha sido trágico."[30]

La escena pictórica es aquella puramente descriptiva en que se crea una visión plástica. Barrios la utiliza con gran acierto acudiendo muchas veces al recurso de transposición de arte. *El hermano asno* y *Los hombres del hombre* abundan en este tipo de escena. Por ejemplo, las escenas de mortificación mística de Fray Rufino parecen cuadros del Greco o de Ribera, en donde, hasta los elementos del claroscuro y el retorcimiento barroco de las figuras, se destacan como efectos pictórico-dramáticos.

Este estudio panorámico de la obra de Barrios revela que el novelista es un hábil narrador, que conoce los recursos técnicos de la novelística moderna y sabe manejarlos en la creación del mundo imaginario y artístico que es la novela. Sus obras, y especialmente las de tema de vida interior, colocan a su autor entre los mejores novelistas hispanoamericanos contemporáneos.

---

28. Eduardo Barrios, *El hernano asno*, p. 133.
29. Eduardo Barrios, *Los hombres del hombre*, p. 285.
30. Eduardo Barrios, *Op. cit.*, p. 133.

## VIII. EL ESTILO

Todo novelista tiene un mirador particular para asomarse al mundo. La ventana particular de Eduardo Barrios es su propia experiencia como hombre, experiencia que el artista depura con su imaginación y su intuición en su obra literaria. Sus libros, han respondido a "una siembra que la vida realizó" en él. Escribe para evadirse de "la realidad vulgar" y se sitúa en un mirador particular desde donde no se distrae en la peripecia de la vida cotidiana, sino que busca con mirada amorosa al ser humano y se hunde en el misterio de su espíritu hasta confundirse en el mundo remoto de la emoción y del sentimiento.

De este buceo interior nacen los personajes que han de revelar su personal visión emotiva y estética del hombre y de la vida. En Barrios se realiza el juicio categórico de Ortega y Gasset sobre la novela contemporánea: "el imperativo de la novela es la autopsia".[1] La novela contemporánea, es ante todo, el análisis de las íntimas inquietudes que se manifiestan en el espíritu del ser humano; pero debe realizarse en forma presentativa, es decir, que se vea la vida de los personajes y que se evite referírnosla.

La lengua recibe en sus libros un manejo particular que la capacita para expresar esos estados anímicos de sus protagonistas. La maestría artística de algunas de sus obras recae principalmente en el estilo mismo. Las novelas de Barrios abren nuevos rumbos para la prosa narrativa hispanoamericana al descubrir una forma de expresión intimista, subjetiva y lírica, propia de las novelas de vida interior o de introspección sicológica.

En notas autobiográficas dice el autor sobre su estilo:

"Y he dicho sobre mi ideal de estilo; *música* y *transparencia*, porque con esto cumplido las demás virtudes vienen solas.

"Acerca de mi definición de arte, no creo necesario insistir. Cuanto más pido fijarse en que digo *comunicar* y no *expresar*. La expresión lisa y llana, por exacta y poderosa que sea pertenece a la ciencia; comunicar y aun contagiar es misión del artista.

---

1. Ortega y Gasset, *Ideas sobre la novela* en *Meditaciones del Quijote*, p. 229.

"Defino en cambio esas dos palabras sobre el estilo. *Música* y *transparencia*, porque yo desearía que, al leer mis obras, el lector se olvidara de que lee y que recibiera solo, como directas de la vida y de la naturaleza, las sensaciones y las emociones de cuanto quise comunicarle. A esto también mi esfuerzo de prosista, a la transparencia para que nada estorbe ni distraiga, y a la música, porque sin ella no hay ondas simpáticas que penetren en el corazón. Yo sé que esto resulta difícil, porque las lecturas de nuestro aprendizaje literario, queramos o no, dejan en nosotros taras que nos entorpecen, que llegan a hacernos fácil un modo difícil de hablar, que lo fácil en realidad por lo simple y espontáneo; pero ello se consigue con un anhelo incesante de honradez y simplificación. Abomino los estilos presuntuosos; son los falsificadores de la propia verdad." [2]

En resumen, Barrios en cuestión de estilo, demanda una gran sencillez y claridad en el lenguaje porque él quiere comunicar clara y limpiamente, y en su pureza original, las sensaciones y emociones que vive o intuye su sensibilidad de artista. La palabra cabal y justa, aislada o trabada en imágenes y frases debe traer directamente o sugerida la impresión original que conmovió al novelista: esa es la transparencia. La música se logra con el contorno de la frase, con el ritmo de las oraciones que se acortan o se alargan, con el tono emocional que aligera o retarda el tiempo narrativo, y sobre todo, con el mayor o menor acompasamiento que le dan los acentos rítmicos a la frase.

## 1. Sintaxis

En la prosa de Eduardo Barrios la oración es generalmente simple. Sólo cuando la síntesis del relato lo requiere, acude a la oración compuesta; y en tal caso, si añade más de una proposición, ésta sirve para aclarar la anterior o para complementar un determinado efecto sensorial o emotivo. Véase un ejemplo:

"Ya deben ser casi las tres. El aire refresca. Sueltan el agua que corre por ese pequeño lecho de piedrecillas limpias. Los pájaros han vuelto, cantando frenéticos; y una flor blanca, que no había visto yo antes, ha abierto muy cerca." [3]

En las oraciones compuestas unas veces acude a la coordinación y en esos casos emplea a menudo los dos puntos y el punto y coma para separar una enumeración de detalles (frases en serie u oraciones coordinadas) que le sirven para ampliar la idea de la frase anterior o aclarar su sentido como ocurre en el siguiente párrafo:

---

2. Eduardo Barrios, *Y la vida sigue*, ps. 86-87.
3. Eduardo Barrios, *El hermano asno*, p. 24.

> "Aun ocurría más: la obsesión había de inflamarse cuando llegáramos a casa, ¿verdad, Luis? Todavía no se nos borra la visión: al entreabrir cautelosos la puerta de su dormitorio esta mañana, ella dormía sobre la cama revuelta. Las ropas le ocultaban el rostro, los brazos, y las piernas; pero, como por intervención de la fatalidad, tenía desnudos el vientre, medio pecho y uno de sus costados pulidos. Esa carne de caliente blancura me hizo temblar." [4]

La oración se hace más breve cuando recoge momentos de serenidad, de placidez y entrecortada en momentos de una emoción muy intensa. Véase un ejemplo del primer caso:

> Triunfo. Me lleno de regocijo. Y hablamos, hablamos...
> Quedé muy contento. Toda la tarde me han movido ánimos de trabajar, de ser útil, alegremente. He ido a la procuraduría y he ayudado a contar y distribuir en los armarios una remesa de aceite, hostias, cerillas. Luego, he pasado a la cocina y he parloteado con los legos. Probé la sopa de la olla. [5]

También usa la frase breve en los diálogos:

> "—Sigámosle. Ahora van a rezar. Verá usted. El les enseña una oración admirable que ha compuesto. Una oración que en estos tiempos de socialismo y locura harían mucho bien. ¡Ah, una oración lindísima!" [6]

Como se puede notar en los ejemplos señalados, tras una secuencia de oraciones brevísimas, Barrios coloca una oración que se extiende un poco más; como si después de ligeras pinceladas, dibujara un trazo más largo para acentuar y recoger rítmicamente la melodía dispersa de las frases cortadas anteriores.

A pesar de que los asuntos y temas de Eduardo Barrios, recogen las graves y misteriosas tensiones del espíritu, su prosa no es pesada ni lenta como generalmente ocurre en este tipo de relato, sino que es más bien suelta, ligera, leve y fluida.

Sólo cuando presenta lo vulgar de la realidad exterior en pugna con la hipersensibilidad de sus protagonistas, su estilo se torna un poco lento y las oraciones se hacen más extensas. Esto ocurre cuando describe los burdeles en su novela *Un perdido*:

> "Halló mujeres más jóvenes y más bonitas que la Meche y la Portela quizá; unas casi tan niñas como él, tratáronle con respeto como a hombre formado; pero si le dieron cierta satisfacción orgullosa, en cambio le desencantaron de sus ansias de adolescente que

---

4. Eduardo Barrios, *Los hombres del hombre*, p. 63.
5. Eduardo Barrios, *Op. cit.*, p. 58.
6. *Ibid.*, p. 61.

busca aún el seno acogedor en que se ponen muchas horas de casto sentimentalismo. Estas mozas vivían atolondradas en la carrera; demasiado jóvenes, buscaban a los hombres expertos, a los machos fornidos y dominadores, a los hombres fuertes, capaces de amparar su debilidad en las trifulcas de la jarana, o sentíanse arrastradas por el sortilegio fatal de los truhanes, de los buenos mozos disputados por las otras hembras, don Juanes de burdel, tiranos del sexo y de los puños, hechizadores en el desdén y en el favor enloquecedores." [7]

En el orden sintáctico de las oraciones el estilo de Barrios sigue la ordenación propia de la prosa poemática: una combinación arbitraria de sintaxis regular y de sintaxis irregular, es decir, el orden lógico y el orden sicológico. La ordenación atiende a los efectos estilísticos que el escritor quiere lograr. Pero en muchos casos, el efecto de transparencia y sencillez que procura Barrios hace que prolongue una larga tirada de oraciones en orden regular:

"Estábamos en el coro, a la hora de la meditación. El sol, un sol caliente de atardecer, caía tendido por el vitral policromo y nuestros sayales castaños se teñían de reflejos violetas, anaranjados, azulosos. Yo sentía el color sobre mi brazo, sobre mi nuca. Los frailes, en la fila delante de la baranda, permanecíamos inmóviles, saturados de emoción." [8]

No pueden señalarse casos de hipérbaton violento. En escasas oraciones, traspone el lugar del adjetivo o del adverbio para crear un efecto particular como en este ejemplo: "La madurez pone a la piel un polvo de ceniza, y a este cambio de color sigue otro de facciones *pronto*"; "Había confianza entre los tres, *mucha, de familia.*"

Son poco frecuentes las *frases hechas* en la prosa de Barrios, y los ejemplos señalados a continuación aparecen principalmente en los diálogos, o en pasajes de la novela que revelan particulares estados de ánimo tales como la indiferencia o un deseo de evadir con una expresión espontánea, una situación mortificante: *metíaseles el demonio en el cuerpo; todo eso para en bolina; por su genio y figura;* le fue agobiando *sin tregua;* no quiere ponerse pesado; era dama de *alto copete;* por cuestiones *del qué dirán;* conocerlos a todos a *ciencia cierta;* salirle de *buenas a primeras; ponerle de vuelta y media;* era *su paño de lágrimas; salió corriendo como loco; deshecho en llanto;* el mismo hombre en *crudo y desnudo; adornarse con las plumas ajenas; se hizo la vista gorda;* cogería a esa Chela Clarín y le *haría soltar la pepa; me carga ya la Chela; he caído en la cuenta* que el lunar aparecería más tarde; no sé, no sé Señor, *en qué pararán estas misas;* no

---

7. Eduardo Barrios, *Un perdido*, p. 168.
8. Eduardo Barrios, *Op. cit.*, p. 47.

he acompañado *en balde* al trío; cree en llamar *al pan, pan y al vino vino.*

Se emplea la anáfora con el fin de dar énfasis y fuerza expresiva al pensamiento:

"Veo *limpio* el *aire...* los *aires,* hasta el azul, *limpio* el *jardín,* donde todo luce niño y ligero, *limpia mi* celda; y están *limpios mis* sentidos, *mi* conciencia y *mi* sensibilidad."
(*El hermano asno,* p. 29)

"Me *domina* en cambio *su olor, su olor* que todo lo impregna y *domina."*
(*Los hombres del hombre,* p. 67)

"Olía todo el barrio no sé *si a* niebla, *si a* ceniza, *si a* paz o *si a* silencio."
(*Los hombres del hombre,* p. 85)

"He vuelto a mi tierra *cuando* han florecido los cerezos del parque y los jardines, *cuando* las ráfagas en vez de hojas muertas, echan a volar pétalos rosados, y *cuando* en los álamos se prenden ya los primeros moños verdes."
(*Los hombres del hombre,* p. 85)

"*Grata,* verdad, muy *grata* hora sobrevino."
(*Los hombres del hombre,* p. 68)

"Luego el silencio se hace *poco* a *poco* muy *ancho,* muy *ancho,* inmenso. Te parece además que afuera, no distinguen la intimidad, la vida personal que ocultan."
(*Los hombres del hombre,* p. 176)

"*Cada* planta, *cada* chorillo de agua, *cada* tronco panzudo, *cada* retazo de azul que se descubre allá lejos entre ramas, reducido, individualizado."
(*Los hombres del hombre,* p. 254)

"*Abofetear,* sí *afotearía* el cadáver si a mano lo tuviera."
(*Los hombres del hombre,* p. 76)

"¿*Divago*? No. *Pienso. Pienso* en él."
(*Los hombres del hombre,* p. 233)

"Digamos que ha de subir la *fantasía.* La *fantasía,* Cabecita despeinada, te abrirá pronto su placer."
(*Los hombres del hombre,* p. 233)

"Fue una *resurrección* de mi tragedia, una *resurrección* cual jamás antes hubo en mí."
(*El hermano asno,* p. 36)

Aunque escasas, resultan interesantes por su valor expresivo algunas *frases redundantes* como éstas: "*su pulso acelerado acelera el mío*"; "*llegan suavemente sensaciones suaves*"; "María Mercedes era un *destello* rosa en el aire y *destellaba* fresca su voz infantil."

La oración según su sentido le sirve a menudo para "comunicar" el elemento hondamente afectivo de sus relatos. Así hay abundancia de oraciones de matiz exclamativo, casi siempre introductorias de escenas de gran dramatismo, que motivan el interés del lector creando un estado de suspenso. Véase un ejemplo en *El hermano asno*: la frase "*¡Otra vez, Dios mío!!*" (con doble signo exclamativo) sirve para introducir la escena de otro encuentro con María Mercedes que Fray Lázaro había tratado de evitar.[9] Generalmente la oración exclamativa abunda en los momentos en que Barrios quiere presentar la angustia, de zozobra, la frustración y el desajuste interior del protagonista frente a la realidad exterior.

De igual manera está utilizada la forma interrogativa que con frecuencia aparece de modo retórico. Esto último tiene un empleo muy eficaz en los monólogos interiores —que en la novela de Barrios aparece en forma de diarios— en que el protagonista se cuestiona a sí mismo en medio de sus vacilaciones y de su insatisfacción. Estas preguntas retóricas sirven muy bien en la caracterización porque a través de ellas se conoce el caos sicológico de los personajes. En *Los hombres del hombre*, donde el protagonista lucha con la tiniebla de una duda abunda este tipo de oraciones, Véanse algunos ejemplos:

"Pero ¿qué es la duda? Ver los términos en la misma cosa. ¿Y por qué se ha de creer en lo peor? Se te pone delante que Charlie no es tu hijo. ¿Por qué?"

(*Los hombres del hombre*, p. 35)

"¿Por qué antes no lo concibió de mí? ¿Carezco de fecundidad?"

(*Los hombres del hombre*, p. 73)

"He tenido atisbos de que la mera sospecha de mi tribulación la conmueve (a Beatriz su esposa) y me ha nacido una vaga esperanza de que me consolaría si yo le abriera mi corazón. Sólo que ¿de qué serviría esto? ¿Iba por ello a desaparecer los hechos de un adulterio anterior? ¿Se convertiría en mío el niño ajeno?"

(*Los hombres del hombre*, p. 97)

"Y a la postre nada me aclara esto. ¿Es buena? ¿Es pérfida? ¿Me amó y me ama? ¿Nunca, ni el más fugaz cuarto de hora dejó de amarme? ¿Con dualismos o sin ellos, fue adúltera? ¿El es hijo mío? He aquí lo fundamental, arrancar la verdad que huye de tan precisas preguntas. Es lo único necesario. ¿Cómo? No lo sé. ¿La llamo a cuentas, la interrogo severo, la conmino a confesión o prueba de inocencia?"

(*Los hombres del hombre*, p. 101)

Recogemos algunos de los muchos refranes que aparecen en la novela *Gran señor y rajadiablos* y que Barrios utiliza como recursos

---

9. *El hermano asno*, p. 47.

novelísticos de interés. Primero, le sirven para caracterizar algunos personajes, sobre todo los tipos populares que se destacan por su sentido del humor, su donaire y su ingenio. Segundo, le ayudan a crear el ambiente campesino con su sabor típicamente criollo; y tercero, añaden a la novela el elemento humorístico que se desprende de la aguda picardía de muchos de ellos:

"Lo mismo da fraile que paire."
(p. 130)

"Eramos como dos... en el mismo asiento; rempuja que yo te rempujo."
(p. 139)

"Ha visto que soy toro y se empeña en ordeñarme."
(p. 139)

"Entre bueyes de la misma yunta no hay cornada."
(p. 140)

"La visita y el pescado al tercer día vician el aire en una casa."
(p. 102)

"No protestan los bueyes y chilla la carreta."
(p. 124)

"¿A qué se queda el gato, si no es a lamber el plato?"
(p. 161)

"Los que se hallan entre tuertos, cierran un ojo."
(p. 164)

"Cuando en la yunta un buey es más grande que otro, el surco se tuerce y sale un adefesio."
(p. 174)

"La vida es enroscada como la cola de algunos perros."
(p. 176)

"Como quien se encuentra la Virgen en un trapito."
(p. 179)

"Si le gustan las brevas no hable mal de la higuera."
(p. 194)

"El tonto echa una piedra en el pozo y ni cien inteligentes la pueden sacar."
(p. 195)

"Todo lo rodea Dios sin ser vaquero."
(p. 196)

"A mala cama, colchón de vino."
(p. 194)

"Perro flaco no sirve sino para criar pulgas."
(p. 235)

"La plata, pomada de Misia Mariana, donde la ponen, sana."
(p. 278)

"Es peor un año en viudez que ciento en soltería."

(p. 173)

"El águila no caza moscas."

(p. 335)

"Los agricultores somos como las papas; damos el producto cuando nos entierran."

(p. 344)

"Cuando llega el serrucho al nudo, se mella."

(p. 155)

## 2. Vocabulario

El vocabulario empleado por Eduardo Barrios corresponde mayormente a la lengua general. Su afán de transparencia, musicalidad y poesía le llevan a seleccionar aquellas palabras de mayor fuerza expresiva y que mejor recogen la emoción poética que el escritor quiere comunicar. Su arte consiste en descubrir los matices secretos de la palabra, mostrándola nueva y revivida. Al ajustar las palabras al asunto y al tema, éstas cobran un matiz especial que las capacita para sugerir la atmósfera y el clima del relato. Esto ocurre principalmente en sus novelas de vida interior en donde no sólo agota el valor sugeridor de las palabras sino que también las escoge a tono con el aliento intimista y espiritual de la obra. Las siguientes palabras son ejemplos de este último caso: *vértigo, soliloquio, fantasmas, tinieblas, misterio, confusión, designio, fantasía, maraña, voces, descalabro, catástrofe, tragedia, sacrificio, serenidad, evocación, evidencia, reflexión, cordura, templanza, ensoñación, espejismo, ilusión, emoción, razón, objetivista, subjetivar, indefinir, enrarecer, trascender, valores, reencarnados, delirar, obsesión, torbellino, disturbio, reflejar, concreto, preciso, entraña, comunicar, urdir, paradoja, enigma, ánimo, escrúpulo, cuita, vacuidad, recóndito, resurrección, análisis, fatiga, tibieza, divagaciones, vidente.*

La palabra le sirve con frecuencia para construir frases, generalmente con un susbstantivo y un adjetivo con las que designa una realidad abstracta y que tienen el sentido propio de las palabras compuestas. Estas frases o palabras compuestas son a manera de un vocabulario especial que le sirve para concretar nociones referentes a los conflictos del espíritu. Los siguientes ejemplos son los más frecuentes: *espíritu innonimado; frases interiores; voces interiores; reir a oscuras; risa interior; tristeza importunada, voluntad dulcemente diluida; sinuosa sutileza; emoción callada; tibieza sedativa, melancólica y suave; espejo enturbiado; paz forjadora del ensueño; instante convulso; escondida avidez; ademanes perentorios; memoria del dolor; fortaleza dormida; sensibilidad fluctuante; obscuridad interior; miedo amoroso; ansias del alma; exterior mísero; entrañas conmiseradas; tribulación oculta; durable tortura.*

Suelen encontrarse varios *cultismos* y algunos *vulgarismos* dispersos en las obras. Entre los primeros hemos seleccionado: *oblución; elucubración; famélico; lancinante; conminar; plañe; odre; hipertrofia; hiperestecia; mutación*. Los vulgarismos abundan principalmente en sus novelas de tendencias criollistas-realistas y son generalmente giros populares como: *sopapos; camorra; repantiga; sandunguera; sosería; zanguango; apestoso; bazofia; largarse; sobaco; tripas; borra; gorda; boquiabierto; chichón; patiabierta; barriga.*

En escasas ocasiones incorpora *criollismos* y *americanismos* en sus novelas de vida interior. Estos aparecen principalmente en sus novelas *Tamarugal* y *Gran señor y rajadiablos* y son más propios del habla de los personajes que de la lengua del autor. Entre otros aparecen: *lebrillo; charqui; rulos; sumeles; tréquiles; chúcaros; ayuntos; chonchones; rodajas; apersonarse; chilcas; queltehues; chamañeos; cabestros; tusar, champas; picana; chirigotas; porotos; chacros; mingaco; encocorarse; penca; chicotazs.*

En novelas como *Tamarugal* y *Gran señor y rajadiablos* aparecen también algunos chilenismos: treida (ha traído); cuantúa (en cuanto a); maneita (tarea de manos); digamé (dígame); porra (podrá); tenrría (tendría), dentrar (entrar); maire (madre).

Hay algunos extranjerismos que aparecen no sólo en la lengua de los personajes sino en la del autor y que posiblemente sean de uso común en la lengua oral culta. Son fundamentalmente anglicismos y galicismos como: *shemmy; dandy; snob; winches; shop; bars; smoking; lunch; timekeeper; sandwiches; singer; kodak; American cinema; peabodys; poker; boite; cite; figon; chatel; menu; pure; cocotte; parket; carnet*. Algunas palabras como: *cursiplebeya, inconfortable, semiazul*, nos han parecido de propia creación del escritor, inventadas siguiendo leyes de composición.

### 3. EL ADJETIVO

Uno de los rasgos más distintivos del lenguaje literario es el aprovechamiento de la adjetivación con fines artísticos, utilizando sus extraordinarias posibilidades descriptivas y caracterizadoras. La fuerza del estilo depende en gran parte de cómo se emplee el adjetivo: si es exacto, gráfico, sugerente, vigoriza el lenguaje, si no posee tales cualidades, produce impresión de vacuidad hinchada.

El adjetivo en la prosa de Barrios es en términos generales sugeridor, diáfano muchas veces, otras exacto y gráfico. A veces es el núcleo esencial de esas formas expresivas que el autor necesita crear para comunicar el mundo sentimental del espíritu que él intuye y para los cuales la lengua general no tiene medios de expresión. Habíamos señalado ya al estudiar el vocabulario, que Barrios crea una serie de frases que le sirven para concretar hechos de la sensibilidad, generalmente emociones, para los cuales el lenguaje común no tiene vocablos. Por lo general esas frases tienen el sentido de palabras compuestas y consisten de un substantivo y un adjetivo. Este es generalmente un adjetivo de definición y no de calificación, y por lo tanto, es el elemento más importante de las frases compuestas. Como ejemplos anotamos los siguientes: espejismo *clemente;* onda *pavorosa;* modo *trastornador;* melancolía *emotiva y suave;* perspectivas *inconmensurables;* términos *fríos; vicioso* prurito; repulsa *escondida; pequeñita con no sé que de íntimo, reunido* y *caricioso;* pasión *perturbadora;* caricias *mudas;* padecer *ignorado;* promesa *oscura;* vórtice *carnal;* empañamiento *que oscila;* instante *fluido que se amedrenta y se niega convulso;* gratitud *conmovida;* duplicidades *afables;* murciélago *del remordimiento;* turbiedad *ajena;* gestos *furtivos;* llamados *inconscientes;* alma *simplificada;* tribulación *oculta;* quemadura *mística; imperativa* esperanza; sensibilidad *fluctuante;* melancolía *emotiva y suave; perfecta* sabiduría; ternura *aguda.*

En otras ocasiones el adjetivo es novedoso; su función expresiva revela una fina sensibilidad que puede registrar las más raras correspondencias sensoriales y una extraordinaria imaginación para captar las impresiones y las emociones más sutiles y delicadas. Muestra, además, una gran intuición para correlacionar imágenes. He aquí algunos ejemplos: olor *lento* y *delgado, cínico* susurro, *porfiada* espiral; nublada *joven;* luna *delgada; blando* y *mecido* reposo; soledad *silenciosa;* manos *ciegas, exasperadas;* silencio *de música recién callada;* celo *funcionario;* gracia *incómoda;* alma *de cacerola blanca;* rosa *iracundo;* pajarillo *hirviente de música;* siesta *sofocada;* efluvio *antiguo;* olores *jóvenes;* agua *delgada* y *casta;* bondad *temblorosa;* silencios *hostiles; exasperada* tristeza; resplandor *preso;* cabezotas *gordas y morenas; trémulo* sillar; majestad *modesta;* perfume *lento; blanda* tolerancia. Se destacan algunos adjetivos personificadores como los siguientes: celo *funcionario, cínico* susurro, bondad *temblorosa;* distancia *reverencial; antipática* razón, manos *episcopales.* El adjetivo alcanza en muchos casos un valor metafórico: *arcaico* sopor; miedo *amoroso; escondida* avidez; *trágica* merced; soledad *negra;* vacuidad *angustiadora.* El grado afectivo de la adjetivación asciende a veces hasta la sinestesia: armonía *amarilla;* olor *verde.*

Además de esos adjetivos afectivos son muy frecuentes los adjetivos sensoriales. Abundan los que apelan a la vista, y muy especialmente, aquellos que crean matices impresionistas de color como en estos ejemplos: *crudo azul; anaranjados azules; azul añil; transparencia lila; diáfano azul; semiazul; celeste inmaculado; azul marino;* res-

*plandor amarillo; azafranado crema; verde azufrado; desteñido como raso antiguo; plata espejeante; palidez tan lila; sombras verdes; oriflamas; albor lamido de miel; verde barnizado de azul; verdeazules; tinte verdoso; concha nácar; púrpuras opacas; cielo desteñido; destello rosa; lampo verdoso; topacios que se queman; claro vapor azul.*

Algunas veces el adjetivo aparece como predicado de complemento, calificando al sujeto y modificando al verbo juntamente según lo muestran estos ejemplos: de aquellos que se alzaron *espantables;* la luz del sol baja *oblicua;* su cordón de nudos cuelgan *dulces y píos;* su palabra es por lo común *grave y enérgica;* el simple frailecillo recibía *manso* la reprimenda; todos se dispersaron *cabizbajos;* lo sentí *exaltado* repentinamente; ese misterio que penetra *frío* y muerde las entrañas; el humo de incensario empinábase *quieto, delgado,* hasta lo alto; ella insistió *afable* y *natural;* quedé muy *contento;* todo en él es *dulzura* y *paciencia;* todo allí es *rancio y pardo.*

En las novelas de vida interior se destacan los adjetivos que sirven para sugerir la atmósfera espiritual y crear el ambiente especial de la obra. Veamos una selección de adjetivos de este tipo que aparecen en *El hermano asno: franciscana* esencia; humo *votivo;* manto *penitenciario;* pañuelo *frailuno,* muros *grises;* murmullo *coreado;* quemadura *mística;* oración *armónica;* manos *episcopales;* distancia *reverencial; limpia* soledad; pliegues *bíblicos;* indumentos *rígidos* e *incandescentes; blando y mecido* reposo; su alma *fresca y transparente;* sentidos *limpios y ávidos;* templo *cerrado, inmenso y hueco, lleno de silencio, penumbra y santidad;* frailes *sin fervor; místicos* dolores; jardines *agrestes;* vacuidad *helada, envolvente y angustiadora;* sayales *castaños;* vaho *seco y ardiente;* bisbiseo *continuo;* emanaciones *corporales.*

En algunas ocasiones utiliza un adjetivo de color para crear la atmósfera exterior del ambiente y para sugerir el estado emotivo del personaje:

> "La embarga tanto *añil* del paisaje. Están *azules* los cielos y los espejos de los charcos, los pinos y los cristales de la casa y aún allá sobre las praderas mojadas, hasta nítidas lejanías, el *azul* barniza todo lo verde... *Azul* canta la flauta de los pájaros, *azules* llegan los gritritos de las niñas desde el interior. Si hablase ella ahora, también *azul* sonaría su voz. *Azules* se vuelven sus pensamientos y cuando la campana la despierta le parece que se desparraman los sones por el aire cual si se desgranase un rosario de cuentas *azules.*" [10]

> "Su silueta *gris, gris* de ropas, de pelo y de pupilas, tembló al reflejo de aquella emoción contenida." [11]

---

10. Eduardo Barrios, *Gran señor y rajadiablos,* p. 222.
11. *Ibid.,* p. 192.

"Todo es allí rancio y *pardo*. *Pardos* se han vuelto con la edad los ladrillos del piso y la cal de las paredes y el techo de pesada vigazón; *pardas* son las mesas de pino desnudo —y tosca y con solo dos patas que se clavan esn el suelo—; *pardos* el púlpito flaco y desvencijado... y aún *parda* se tamiza la luz por las ventanas de vidrios polvorientos." [12]

La colocación del adjetivo depende del grado de subjetividad en el acto de calificar. Los adjetivos antepuestos expresan generalmente juicios subjetivos, como por ejemplo: una *mala, venenosa* idea; *desengañada* pero *serena* existencia; *larga, sostenida* y *dulcísima* ternura; *blando* y *mecido* reposo; *franciscana* esencia; *durable* tortura; *grises* cataratas; *achispado* círculo; *místicos* dolores; *torpe* vibración; *rodante* cabina; *negro* zaguán; *extraña* y *espiritualizada* belleza; *inocente, angélico* e *inefable* rasgo; *primitiva* y *sutil* sensibilidad. Este tipo de adjetivación no abunda. Barrios quiere lograr una prosa sencilla y transparente y por eso evade la forma literaria y poco natural del adjetivo antepuesto. Solamente lo usa cuando quiere lograr un efecto emotivo o sensorial y cuando cree que debe cambiar el ritmo de la frase alternando la posición del adjetivo. La expresividad se logra por el valor afectivo de la palabra misma y no por la posición del adjetivo, que no hace sino intensificarla.

Barrios emplea generalmente un calificativo para cada sustantivo, pero a veces los usa en pares o en serie. Cuando usa los adjetivos en pares, a veces antepone uno y pospone el otro. Con esto logra darle ritmo a la prosa e igualmente consigue un equilibrio de sentido entre los dos adjetivos que califican al sustantivo. Veamos algunos ejemplos: *viejo* copachón *redondo*; *espontánea* actividad *silvestre*; *blanquísima* luna *diurna*; *famoso* Mario *mundano e inflamable*; *anchos* peldaños *enladrillados*; *ancha* flor *blanca*; *anchas* mangas *negras*; *turbias* semanas *recientes*; *graciosos* caprichos *amarillos*; *pobres* seres *aislados* y *muy débiles*; *pequeña* conciencia *remordida*; *dulce* placidez *deseada*. Estos casos no son tan frecuentes en el estilo de Barrios quien prefiere el adjetivo pospuesto. Hemos seleccionado los siguientes ejemplos: olor *lento* y *delgado*; melancolía *emotiva* y *suave*; solución *justa* y *digna*; importancia *monumental* y *negra*; indumentos *rígidos* e *incandescentes*; alma *benigna* y *sosegada*; cerquillo *ralo* y *negro*; carnación a la vez *fina* y *rolliza*; alma *fresca* y *transparente*; tierra *obscura* y *esponjada*; repollo *gris* y *luciente*; sentidos *limpios* y *ávidos*; coquetería *espontánea* e *inocente*; rebullir *afanoso* y *vivo*; pico *duro* y *afilado*.

Los adjetivos en serie, tan característicos del estilo modernista, también aparecen en la prosa de Barrios. Estos tienen la virtualidad de sutilizar la calificación en diversos grados y matices. Con ellos

---

12. Eduardo Barrios, *El hermano asno*, p. 49.

Barrios logra dar las impresiones más sutiles de color, contenido y emoción. Estos adjetivos en serie también añaden cierta intensidad emotiva a las impresiones que el autor quiere comunicar. En la prosa de Barrios aparecen con frecuencia la serie de tres y casi nunca llega a usar cuatro adjetivos. Veamos algunos ejemplos notables: solución *digna, justa, larga;* muro *gris, compacto, impenetrable;* arca *sonora, tremolante y viva;* pequeñita con no sé qué de *íntimo, reunido y caricioso;* el cielo estaba *encapotado, negro, compacto;* templo *cerrado, inmenso y hueco,* lleno de silencio, de penumbra y santidad; días *iguales, turbios, desalentados;* era linda y *frágil, rubia y suave;* crepúsculo *rosa, manso y vibrante;* deshonestidad *trágica, desgarradora, grotesca;* tribulación *amarga, cansada y confusa.*

Se destacan por su valor afectivo algunos adjetivos que Barrios crea habilitando generalmente un sustantivo a una función adjetival como en los siguientes ejemplos: algo *caricioso; rodante* cabina; temor *reverencial;* pañuelo *frailuno;* dolor *redivivo;* placer *sibarita; cariciosa* melancolía; manto *penitenciario; cínico* susurro.

### 4. El verbo y el adverbio

De acuerdo con Eduardo Mallea "los resortes secretos de la novela son el verbo y el adverbio". Señala Mallea que "cuando se escribe la novela hay que estar *viendo* las figuras, *apartados* los ojos de las palabras. El *verbo* y el *adverbio* trabajan por dentro." [13]

Son ciertamente el verbo y el adverbio los que elaboran el movimiento de la acción, mueven a los personajes dentro del mundo de la ficción y dan un dinamismo vital a la realidad creada en la novela. Estilísticamente el verbo y el adverbio cobran relieve cuando el escritor los utiliza con una función estética o sugeridora de estados afectivos dentro de la atmósfera de la obra. Unas veces los usa con una función dramática y otras para lograr un efecto de puro movimiento en el desarrollo de la novela. En la prosa narrativa de Barrios aparte de la precisión y propiedad que procura conseguir en la utilización de los verbos y adverbios, no notamos ningún uso que tenga un marcado valor estilístico. Sin embargo, hay que mencionar algunos verbos que nos han parecido novedosos y que han sido creados por el autor para sugerir algo más que el puro acontecer. Veamos algunos casos en que los verbos crean visiones impresionistas: la torre elévase *enroscándose, rodando* elegante sobre sí misma; se *había enrarecido* la mañana; he *orillado* el tema; cuyo golpe *destella* en relámpago; por entre los ropajes *amarillean* las carnes; donde *ahueca* su bocaza en arcada el muro gris; su vida se *humildizó* mansamente; la

---

13. Eduardo Mallea, *Notas de un novelista,* p. 74.

pantalla verde *colorea* de apaciguamiento el aire; *enrojeció* un discurso; muchas flores y mucho incienso acumulado *azucaran* el aire.

A veces el verbo le sirve para presentar una determinada actitud de los personajes en una escena:

"Suelen hacerme gracias estos hermanos legos. Una gracia incómoda. En el coro, *rezan* entre suspiros y bufidos, se *suenan* a todo pulmón; *tosen, sudan, resoplan*. Diríase que *funcionan* a vapor."

(*El hermano asno*, p. 27)

Otras veces lo usa para comunicar a la vez la acción exterior e interior:

"Por fin *me pongo* de pie, *abro* las manos, *cierro* los ojos y *levanto* al cielo la cara y el sol *resbala* su tibieza entre mis dedos, la *derrama* por mis facciones inmóviles, *pasa* a través de mis párpados y *toma* posesión de mis venas como una divinidad de bienestar."

(*El hermano asno*, p. 30)

"Luego María Mercedes también *alza* la cara y *se encuentra* con mis ojos. Nueva turbación: su mirada *vacila, viene* a mí, *se retira, sale* otra vez y a medio camino *vuelve a recogerse*, metiéndose al fin pupilas adentro, como un fluido que se *amedrenta y se niega*."

(*El hermano asno*, p. 70)

En otras ocasiones los utiliza para crear suspensión de interés al poner las figuras en gran movimiento y animación:

"Todos se *aglomeran, rebullen*, se *inquieren*. Sí, *ventilan* algo a la vez deseado e intranquilizador."

(*El hermano asno*, p. 38)

Los usa a veces para impartirle movimiento al paisaje como en estos ejemplos:

"Una paloma blanca bajó el olivo viejo, *se posó* en el brocal del pozo y *se puso a beber* el agua estancada..."

(*El hermano asno*, p. 29)

"Se ve de rato en rato *venir* una golondrina azul. *Traza* su vuelo en comba del espacio a la tierra, *cruza* veloz, a escasos dedos del suelo, y de nuevo *desaparece* arriba..."

(*Gran señor y rajadiablos*, p. 283)

El adverbio amplía, matiza y precisa el significado del adjetivo o del verbo. Es otro resorte importante en la narración. En la prosa, hemos encontrado que Barrios tiene preferencia por el adverbio compuesto del *adjetivo* más la partícula *mente*. Estos tipos de adverbios son más abstractos y a veces tienen una intención metafórica al calificar el verbo o el adjetivo. Algunos casos son muy novedosos y rebuscados: Todo languidecía *enfermizamente; paralelamente* me invadió la timidez; *pulcramente* pellizcan; *enfermizamente* voluptuoso; *agudamente* triste; *dulcemente* embrutecido; *afectuosamente* triste; *estúpidamente* solo; *deliciosamente* inconsciente; *dulcemente* diluida; *agudizadamente* sensible; *encendidamente* mía; *intolerablemente* feliz.

### 5. Imágenes, metáforas y símiles

Asegura Mark Schorer que, al escribir una novela, la técnica sirve para descubrir todas las posibilidades artísticas del asunto y estructura y para concretar la idea del autor mientras que el estilo es el medio con el cual el escritor revela los hechos de su sensibilidad. En una novela no solo tenemos un asunto, un tema y un contenido, realizados a través de la ficción novelesca; tenemos además la personalidad del autor que ha manejado el lenguaje como un instrumento de arte para crear ese mundo de la novela.

En su ensayo *La novela y la matriz de analogía* cita Schorer la teoría de Gerald Manly Hopkins, poeta inglés de la última década del siglo XIX, quien señalaba, en relación con la tragedia griega, que dos movimientos sostenidos y en contrapunto corren parejos dentro del contenido de la obra y que son reveladoras del estilo: el *pensamiento* y el *sobrepensamiento*.[14] El pensamiento directo del autor es tan evidente al lector, que este puede parafrasearlo; pero el "sobrepensamiento" está detrás del pensamiento y por lo tanto no puede comunicarse con el sentido lógico de las palabras. Es a través de las imágenes, metáforas y símiles que el escritor comunica los hechos afectivos de su sensibilidad —el "sobrepensamiento". El artista escritor ha de preocuparse por conseguir que el lector sienta y capte la emoción de lo que él ha querido comunicar. En su esfuerzo por alcanzar la precisión, busca continuamente relaciones y analogías que logren concretar sus impresiones emotivas e intelectuales. Esto explica la presencia de imágenes, símiles y metáforas en la lengua de un escritor. Son recursos estilísticos que le sirven para la realización plena del contenido total de su novela. El tema, el asunto, la atmósfera y la caracterización de los personajes cobran con el lenguaje metafórico matices más sensibles de arte y de poesía.

Como en la obra de Eduardo Barrios, el mundo que se crea se nutre de los hechos intangibles que se suscitan en lo íntimo del ser, el lenguaje metafórico cobra mayor relieve como medio para precisar

---

14. Mark Schorer, «The Fiction and the 'Matrix of Analogy',» The Kenyon Review, Autumn, 1949, Vol. XI, p. 560.

materia tan subjetiva y escurridiza. Las imágenes en el estilo de Barrios nacen tan fundidas al sentido y asunto de la obra que son ellas mismas quienes van realizando el sentido y el asunto que se crea en la intuición del autor.

La confesión íntima que descubre el alma del personaje —un diario— se va desatando en un fluir de imágenes sensoriales, emotivas e intelectuales, reveladoras todas de su trasfondo espiritual y teñidas de tal subjetivismo lírico que dan a la prosa un carácter puramente poemático. La frase corta, la natural transparencia de los vocablos y el ritmo acompasado de la prosa concluyen el parentesco con la poesía lírica.

En la novelística de Barrios aparecen imágenes de varias modalidades: impresionistas, preciosistas, decadentistas, creacionistas y expresionistas, pero sobre todo las impresionistas. Las imágenes le sirven para crear la atmósfera, son eficaces en la caracterización de los personajes en donde revelan hasta las sutilezas más íntimas de su personalidad y contribuyen en la elaboración del tema a través de todo el contenido.

La abundancia de imágenes impresionistas en las novelas de Barrios proceden de su intento de comunicar el sentir interno de sus protagonistas. Su carácter sentimental, introvertido se revela muy bien en este doble mirar hacia fuera y hacia dentro, porque al teñir la realidad con lo que llevan dentro dan su interpretación personal y subjetiva de la realidad. Dice Amado Alonso que el impresionismo consiste en representar las sensaciones que las cosas provocan y no las cosas mismas. Eduardo Barrios como artista utiliza el impresionismo con una doble función: primero, para crear el trasfondo psicológico de los personajes de sus novelas, dando la visión subjetiva del mundo de esos seres mediante sutiles impresiones de la realidad; y segundo, para aprovechar todo lo que la imagen impresionista, con sus destellos, sus reflejos, sus movimientos, y su riqueza altamente sugeridora, puede aportar a la belleza total de la obra. La imagen impresionista da una idea de conjunto, de armonía y relación entre las cosas. No recoge el objeto aislado sino que junto a él abarca lo que le rodea: el aire, la luz, la sombra, los otros objetos, y más aún, el efecto de unos objetos sobre otros. El impresionismo acude a los matices, a los reflejos, al color, para dar la realidad. Las imágenes impresionistas más abundantes son también las relativas a la vista: luz y color, pero hay también ligeras impresiones de sonido, olfato y tacto.

*El hermano asno,* por ejemplo, es una novela rica en alusiones al efecto de la luz sobre las cosas. Va trasponiendo la luz en reflejos de unos objetos a otros:

"Una luz cenicienta lo suaviza todo: el verde frío de los arbustos, el tono de las pinturas y el oro envejecido de sus marcos. Aún el castaño de los sayales se vela suavemente de gris."
(p. 105)

"El cristal de una fachada prende un lampo verdoso allá en la arcada."
(p. 70)

"Pintan dos manchas densas en la gris sucesión de las columnas del claustro, que al entonarse en la transparencia lila, toman un diáfano azul de bruma."
(p. 28)

"Temblaba la luz de la calle y la escasa y humilde clavazón de nuestra vieja puerta se iluminaba y desaparecía."
(p. 42)

"Por la rendija inferior salió un resplandor amarillo y se tendió en las losas."
(p. 42)

"Con aquellas ropas de verano, contra el cielo fulgurante de luz, ponía un destello rosa en el aire."
(p. 57)

"A donde la luz de la calle alcanza por sobre la pared y convierte la bruma en claro vapor azul."
(p. 92)

A veces la impresión de luz es diáfana y transparente como por ejemplo esta impresión del sol:

"Mire usted como entra el 'hermano Sol' por la ventana. Desenvuelve una estera de oro en el suelo. ¿Ve usted? Cuadrada y perfecta. No; es más bien un tapiz y esas sombras fugaces que afuera dibujan los pájaros en el aire ponen los arabescos."
(p. 83)

En esta imagen anterior se sugiere la forma del espacio luminoso que conforma el cuadrado de la ventana; pero por lo regular, la impresión de forma o de tamaño se sugiere de manera vaga por la luz y el color que cae sobre las cosas como puede verse en los siguientes ejemplos:

"Las sombras de las cosas tendidas ya sobre el solar se confundieron con el velo del crepúsculo."
(p. 90)

"Y eran pequeños destellos blancos, los jazmines que desde la mata miran a la altura."
(p. 57)

Las impresiones de color son también frecuentes casi siempre relacionadas con la luz. El verde, el oro, el amarillo, el azul, el blanco, el castaño y el gris son los colores predominantes, pero aparecen generalmente en tonalidades claras y muy fríos, en matices desteñidos: verde aceituna, verde frío, oro envejecido, dorado viejo, rubio tostado, tono calizo, rosa pálido, nácar sepia, plata desgastada, pizarrón azul, terrazo común, azul brumoso, lila transparente, azafranado crema, violeta envejecido.

Barrios asocia los colores con lo sicológico del personaje y por eso los utiliza en la caracterización: usa el rosa pálido, el blanco y el azul en relación con María Mercedes —"era un destellado rosa en el aire"—; con relación a Jenny —"también en el rostro de la niña, en el resplandor, era una paloma blanca"; el aceituna verde, el pardo, el gris y el obscuro lo utiliza en torno a Fray Rufino —"cabeza de tono aceituna verde", "labios prietos", "sayal pardo"; y el verde, "chispas verdes", para caracterizar el aire malicioso, fanfarrón y mundano del ingeniero en *El hermano asno* y de Valverde en *Gran señor y rajadiablos*.

El gris y el pardo, el oro viejo, lo usa en la creación de la atmósfera: pardos son los ladrillos, la tierra, la lluvia, las paredes, el techo, las mesas y el púlpito del convento en *El hermano asno* y grises son sus claustros, sus muros, los sayales y las figuras de los monjes, y los atardeceres. El convento es un "encierro gris". El oro viejo lo emplea para describir los marcos de los cuadros, los altares, los cálices y los reflejos de luz en los atardeceres. La transparencia lila y el azul brumoso le sirven para crear la impresión del aire, de la luz, de la sombra; la atmósfera que rodea los objetos que están en la distancia o sumergidos en los crepúsculos.

La luz del sol la crea como una *"armonía amarilla"* que cae sobre la tierra; como *"pendiente de oro"* que baja a las cosas; o *"estera de oro en el suelo"*.

Las ligeras impresiones del paisaje se destacan en colores azul pálido, añil desteñido, verde tierno y verde frío y blanco: usa el pálido y el añil desteñido para el cielo, para las distancias, para las sombras; el verde frío o tierno para los pastos, árboles y montañas y el blanco para las aves que vuelan sobre el cielo y para las flores.

En ocasiones aparecen todos los colores suavizados por el efecto de la luz; como por ejemplo, habla de los colores que se destiñen en la "luz cenicienta" de los días lluviosos, en un pasaje de *El hermano asno*.

A veces reúne varias notas de color en armonía para componer un cuadro:

> "Sobre la tierra *parda*, lucían el color de la mula *blanca*, el sayal *castaño* y el puro *negro*, borrábase el pollino *ceniciento*, y tres nubes de polvo iban estelando el aire." [15]

---

15. Eduardo Barrios, *El hermano asno*, p. 69.

El impresionismo logrado por efectos de contrastes de luz y sombras aparece constantemente para crear la atmósfera interior del personaje. Citemos como ejemplos los reflejos del farol de la calle en el cuarto a obscuras donde Lucho Bernales *(Un perdido)* sufre el rechazo y la incomprensión del padre, y las varias escenas en la obscuridad en que Fray Lázaro presencia conmovido y mortificado los excesos ascéticos de Fray Rufino. A veces es una impresión ligera, momentánea.

"La luz del sol baja oblicua sobre el claustro y estampa contra el suelo y el muro la sombra de los pilares y la arquería." [16]

Otras veces el claroscuro le sirve para crear expectación, tensión y hondo dramatismo como la escena del intento de ultraje de Fray Rufino *(El hermano asno)* y la figura que avanza en la noche (Marisabel) con una luz en las manos mientras los hombres aguardan emboscados *(Gran señor y rajadiablos)*.

En *El hermano asno* se da el caso en que la excesiva sensualidad del protagonista le lleva a sentir el color sobre los brazos, en el alma, utilizándose la teoría de las correspondencias a través de una sinestesia de tacto.

Las sensaciones de sonido son menores, en las novelas de introspección, donde generalmente abunda el silencio. Pero se crean algunas imágenes de sonido, aunque apagadas: voz "como un surtidor"; "el bisbiseo de los rezos que se enreda en los bancos, salpican las losas y se agita como efervescencia en la penumbra", "ronroneo de guitarras sobre las ráfagas"; "campanadas que volaron como ángeles obedientes por el crepúsculo"; "sapos que reanudan su canción con sus cascabeles de palo", "campanadas que caían como goterones en una laguna imaginaria"; "templo como arca sonora, tremolante y viva"; "el mugir de ganados distantes por el aire que mandan los caminos".

Se encuentran algunas que sirven para crear la impresión de silencio como la siguiente, que recuerda por lo paradójico de su sentido a los místicos españoles: "silencio de música recién callada".

A veces crea una impresión auditiva asociada a una visual como por ejemplo: "La atmósfera solía tener acústica de colores claros"; "templo cerrado, inmenso y hueco, lleno de silencio, de penumbra y santidad"; o una auditiva asociada a una de tacto: "Escucho su voz tersa como su cutis".

Más escasas aún son las sensaciones olfativas. Se reducen a vagas y ligeras sensaciones de olor: los olores naturales y desvaídos de la naturaleza, del huerto, de los campos, de las habitaciones, de las iglesias. En *El hermano asno* son muy apagados los olores: las emanacio-

---

16. *Ibid.*, p. 38.

nes corporales de los monjes, los olores viejos de los objetos guardados, los de la tierra y del huerto. Hemos recogido las siguientes sensaciones olfativas en *Los hombres del hombre* en donde se asocian los olores con el estado de ánimo interior:

> "Olía todo el barrio no sé si a niebla, si a ceniza, si a paz o si a melancolía."
> (p. 85)

> "Huele a germen, a sol, a cantos, a colores, a leche y a niñez."
> (p. 86)

En esta última imagen intenta fundir el autor todos los sentidos.

Las imágenes de modalidad preciosista las usa Barrios cuando quiere crear una atmósfera de lujo, de riqueza y de esplendor. Por lo general las utiliza cuando describe la belleza material de la naturaleza, de los seres y de las cosas. Véase un ejemplo en que crea la atmósfera de riqueza y esplendor de la iglesia durante la misa mayor:

> "...hinchada de música y de incienso, trémula de lirios y de gente. El altar mayor, su retablo hasta arriba, y ante todo el estrado, fulguran de luces, raso y orfebrería de oro. Los oficiantes parecen joyas enormes que rutilan: se hunden sus cabezas entre los indumentos, rígidos e incandescentes, que bajan en pliegues acampanados; giran sus siluetas cónicas y a cada giro fosforecen mil carbunclos sobre el tisú." [17]

Son de carácter simbolista o decadentista las imágenes que consisten en la enumeración y acumulación de objetos viejos y que Barrios utiliza para sugerir sutilezas de la atmósfera propia de determinados lugares o situaciones relacionándolas con la evocación del pasado:

> "Camino para animar la soledad y el silencio sobre las losas vetustas donde fueron paseados tantos místicos dolores, entre las arcadas viejas y los muros seculares, bajo las pequeñas vigas retorcidas por los años, como los huesos de los viejos, bajo las grandes vigas labradas en que tantos gemidos penitentes se enredaron." [18]

> "Y sobre todo predominan los olores. La sala que fue de los Terceros y hoy hemos llenado con los trastos viejos en desuso, a cada ráfaga evoca las vitelas, miniadas de los viejos salterios polvorientos y fascistoles y arcas y credencias penetrados de aceite y de polilla, y brocados deshechos que el hilo de oro oxida." [19]

Son notables en las novelas de Eduardo Barrios las imágenes creacionistas y expresionistas que a veces solo cumplen una función esté-

---

17. Eduardo Barrios, *El hermano asno*, p. 120.
18. *Ibid.*, p. 45.
19. *Ibid.*, p. 108.

tica y otras, aparecen como impresiones personales de los protagonistas y efectúan una función caracterizadora al ayudar a conocer la sensibilidad de los personajes. La imagen creacionista revela el intento del escritor de crear una nueva realidad lograda con una valoración muy personal del mundo y de las cosas. Resultan muy novedosas y a veces denigrantes al rebajar las cosas de categoría estética. La expresionista es impresión subjetiva que el escritor tiene de la realidad y al comunicarla altera y transforma esa realidad. Veamos algunos ejemplos:

(El hermano Juan). "Lleva una cacerola blanca, como su alma." (expresionista).[20]

"Allí arriba volaba el viento bajo las nubes borrándolas como una manga al rozar un cuadro fresco" (expresionista).[21]

"No obstante, la luna tras lucirse aún allá arriba, ahora como el ojo de un monstruoso pez que mirase dentro de un acuario de pesadilla." (expresionista).[22]

"Treparé al cerro y me abriré a los aires, sobre la ciudad y solo bajo el sol, ebrio, dándome a la luz, flameantes como banderolas mi alma y mis sentidos." (creacionista).[23]

"Entre dos patios dormidos, vela el ojo amarillo de una lámpara, pero aún su mirada es un vapor, reflejo que sobre un marco dorado se aletarga y se apaga en la tiniebla de una tela antigua." (expresionista).[24]

Son funcionales todas aquellas imágenes que sirven de algún modo en la realización del contenido y del sentido de la novela. Eduardo Barrios emplea las imágenes en la creación de ambiente, en la caracterización de los personajes y en la elaboración del tema.

Véanse algunos ejemplos en que la creación de la atmósfera y el ambiente se logra a través de las imágenes:

"En *aquella soledad negra* y en aquel silencio, el *murmullo gimiente de sus preces* y *el sordo arrastrarse de su cuerpo* y *del madero contra el piso dañaban el corazón como un anuncio de tragedia.*"
(*El hermano asno*, p. 109)

"Yo miro por mi ventana al patio enorme y a los claustros sombríos. *Una luz cenicienta lo suaviza todo: el verde frío de los arbustos, el tono de las pinturas y el oro envejecido de sus marcos.* Aún el castaño de los sayales se vela suavemente de gris."
(*El hermano asno*, p. 105)

---

20. *Ibid.*, p. 71.
21. *Ibid.*, p. 62.
22. *Los hombres del hombre*, p. 215.
23. *Ibid.*, p. 83.
24. *El hermano asno*, p. 98.

(Los claustros) "El silencio que hay ahora en ellos no es fácil definirlo. *Es una quietud extensa y una agitación interior.* Oprime, intranquiliza. *Los pasos resuenan demasiado; dan tumbo sus ecos por las galerías.* Ya no acompañan los cuadros; *lúgubres suelen parecer una amenaza en la sombra.* Los patios como agrandados, no amparan; compulsan a correr hasta la celda para sentir la protección de las cuatro paredes reducidas y la compañía de las cosas familiares."

(*El hermano asno*, p. 45)

"*Campanillas del tranvía, chirriar de ruedas en las curvas, pregones que una ráfaga deshace, o gritos dislocados y sueltos,* cuyo motivo nunca se adivina. Y a cada instante *un automóvil trompetea en fuga;* se atenúan sus toques con rapidez inopinada siempre: *imagino una línea de puntos arrojados al espacio, y que se va achicando y destiñendo en la distancia.* Desaparecen al fin, y yo siento que se llevaron una prisa, un anhelo, una vehemencia."

(*El hermano asno*, p. 68)

"También aquí, en este pequeño huerto encajonado entre los claustros, *el aire se detiene, se ablandan de calor las hojas y la hierba se tiende lacia.* Hasta la mirada se afloja. En aquellas plantas de tuna *centellea el sol:* deben de estar calientes los carnosos medallones y resecas sus espinas. El claustro encalado refulge solitario; y aún las palomas y los pájaros se han escondido."

(*El hermano asno*, p. 24)

"*Cosas, colores y atmósfera, todo languidecía enfermizamente voluptuosos allí:* El tapiz tendido encima del ancho sofá, rara estofa de tornasoles marchitos; algunos azules de humo; cierto rosa de aurora velada de niebla, y flotando, mezcla de ausencia y presencia, ella con su palidez."

(*Los hombres del hombre*, p. 64)

"Mientras, *la camanchaca había adquirido tan líquida densidad, que la noche lindaba con la tiniebla.* Le cruzó a Carlos por la imaginación *un símbolo de la otra vida. Dentro de aquella penumbra se recibía un anticipo de las regiones de ultratumba.* El limbo debía ser así. *Y aquellas lucecitas, murientes, medrosas como fuegos fatuos, le evocaron imágenes de ánimas en pena.*"

(*Tamarugal*, p. 81)

Algunas imágenes crean una doble atmósfera: la exterior y la interior del personaje. Estas imágenes sirven además para la caracterización.

"Estábamos en el coro a la hora de la meditación. El sol, *un sol caliente de atardecer, caía tendido por el vitral policromo, y nuestros sayales castaños se teñían de reflejos violetas, anaranjados, azules. Yo sentía el color sobre mi brazo, sobre mi nuca.* Los frailes en fila delante de la baranda, permanecían inmóviles, saturados de unción. Poco a poco *nuestros pechos habíanse ido vaciando de conciencia, aligerándose, en una dulzura que nos elevaba.* Allá, abajo, lejos, desde la tarima del altar mayor, *el humo del incensario, puesto ante el Santísimo, empinábase quieto, delgado, recto hasta lo alto, empinábanse las llamas de los cirios, y nuestros cuerpos ingrávidos, diríase que adelgazados, como las llamas de los cirios y como el humo votivo, empinábase también hacia Dios. Era todo una oración armónica que subía en el grave recogimiento del templo cerrado, inmenso y hueco, lleno de silencio, de penumbra y santidad."*

(*El hermano asno*, p. 47)

Acude Barrios a la imagen impresionista con la cual a la vez que presenta a los personajes dibuja con rasgos ligeros la atmósfera y el ambiente de igual manera que si describiera un cuadro:

"Estaba solo e inmóvil, *en un claro de luna, puesto el capuz, la cara al cielo y con los párpados caídos, las manos en cruz sobre el pecho. La luz de la luna torcía contra el muro de la sombra de la arcada, descubría en la negrura de un cuadro dos piernas con llagas, un cráneo mondo y una paloma entre rayos, y él lo revestía de cielo. Todo era estático y silente como una visión."*

(*El hermano asno*, p. 114)

Entre las abundantes imágenes que sirven para la caracterización hemos seleccionado los siguientes:

(Fray Rufino) "*La tonsura mal rapada, el cerquillo ralo y negro, la cara un poco deforme, con hondas cuencas y huesos filudos alumbraban, cubiertos de una extraña y espiritualizada belleza;* y al entrar la Forma blanca en tu boca y *al cerrarse con amorosa reverencia tus labios prietos*, ocurrió algo augusto, impresionante de piedad."

(*El hermano asno*, p. 37)

(Fray Rufino) "con la escoba en la mano, *enflaqueciéndole de susto el verde semblante, coronado por su ralo cerquillo negro y los pies rematando el esqueleto mal liado por los hábitos que ata el cordón en cien pliegues a su cintura..."*

(*El hermano asno*, p. 81)

(María Mercedes) "*pequeñita, con no sé qué de íntimo, reunido y caricioso en la silueta; y en la carnación, a la vez fina y rolliza, la tierna morbidez de esas italianas del Renacimiento que el Veronés solía pintar."*

(*El hermano asno*, p. 54)

(Fray Bernardo) "tiene *un rostro de sesenta años, todo sonrosado de venillas, y un cerquillo blanco en torno a la tonsura calva, y unos ojos claros que esconden su bondad temblorosa tras unas gafas azules."*

(*El hermano asno*, p. 32)

(Fray Rufino) "Hay *un resplandor* en su *exterior mísero. Esa carne de misterio emana una especie de majestad modesta, cándida, pro-

*funda*, y sus ojos tienen el santo ardor de los visionarios, iluminados por la Secreta Verdad."

(*El hermano asno*, p. 83)

(Jesús Morales) "Yo no sé que tenía, ese hombre brutal, que inspiraba fe. Su aspereza resultaba muy a menudo desagradable; pero algo había en su *faz de moro, en su corpacho blando, pero afinado como el de un bajá, aún en las arrugas de interior blanquísimo que ocultaban sus facciones tostadas*, por todo lo cual se adivinaba una capacidad de raza."

(*Tamarugal*, p. 18)

(Carmela Burgos) "*alta, gris, adolorida, los hombros separados y angulosos como los dos alones de un cóndor, a la vez lujosa y raída, se fundían en su talante la mujer colonial y el fantasma de una reina loca.*"

(*Gran señor y rajadiablos*, p. 150)

Muchas veces las imágenes con que describe al personaje recogen los efectos de la luz sobre las figuras y por lo tanto el resultado final es un cuadro impresionista.

(Doña Eduvigis) "Dábale la luz en la cara, y su cutis de mujer fina envejecida, cubría las carnes como una gasa gastada que se hallara en riesgo de despegarse. Dócil había enmudecido; pero entre el enredo de azul de venas que había en sus ojeras, las pupilas brillábanle hoy cual si ensoñase."

(*Tamarugal*, p. 82)

(Jenny) "Daba sobre ella, el sol como daba sobre cuatro palomas que, en el alero contra el azul, eran cuatro copos de espuma nacaradas de luz. También el rostro de la niña, en el resplandor, era una paloma blanca."

(*Tamarugal*, p. 135)

(Celina) "Es delgaducha, esmirriada, frágil. Dos abiertas pupilas color de te, muy cristalinas y cercadas de pestañas en arco, ponen alma simple y estática, de flor, en su cara trigueña. Lleva el pelo flojamente recogido. Un pelo casi negro, pero con un par de guedejas claras que, como dos tezones de canela, dibujan el peinado y van a matizar enroscándose el moño."

(*Páginas de un pobre diablo*, p. 54)

La caracterización de personajes del mundo exterior, "ávidas de vida animal" quienes aparecen en contraste con la hipersensibilidad de los protagonistas, se hace en caricatura, destacando la vulgaridad de sus rasgos y relacionándolos con los animales:

(Un tipo de la calle) "alto, flaco, enlutado; tiene un rostro moreno ceniciento, anchas orejas viciosas, pupilas raras que yo imagino verdes, y un perfil de hocico de perro, o de chacal."

(*Páginas de un pobre diablo*, p. 49)

(Una mujer vista en el tren) "Con un gran sombrero muy plano, el cuello delgado y largo y ese no sé qué de yegüita pura sangre en carnes finas y elásticas."

(*Páginas de un pobre diablo*, p. 206)

Otras veces una ligera imagen impresionista caracteriza a un personaje como este ejemplo:

(Carmela Burgos) "Belleza de tarde arrebolada."

(*Gran señor y rajadiablos*, p. 170)

Las imágenes, que sirven para exponer el tema o aclarar su significación tienen además en las novelas de Barrios, la función de caracterizar la personalidad interior del protagonista. Como los temas giran en torno a conflictos íntimos de los personajes, estas imágenes sirven para exteriorizar esa angustia espiritual. En novelas como *El hermano asno* y *Los hombres del hombre*, obras de confesiones íntimas, Barrios acude frecuentemente al lenguaje metafórico para comunicar la verdad interior de sus personajes. Véanse algunos ejemplos:

"No soy inocente, no soy ingenuo. La inocencia es un vacío defendido por el velo de la ingenuidad; y las vicisitudes rasgan este velo, nos hacen receptivos y el vacío se llena de conocimiento. El conocimiento conduce a la claridad, pero a la plenitud franciscana a la Gracia, nunca." (Tema *del conocimiento versus la sencillez, el amor y la humildad franciscana* — conflicto de Fray Lázaro).

(*El hermano asno*, p. 24)

"Porque nace el sentimiento, Señor, y es como si un hijo hubiera nacido. Hablamos, aun reñimos, y el hijo, allí sujeto por los brazos invisibles con que los corazones se han cogido; el hijo que se cae, llora, gime, sufre y hemos de sostenerle fatalmente." (Tema *de la pasión amorosa terrena* — conflicto de Fray Lázaro).

(*El hermano asno*, p. 107)

"Una melancolía cayó sobre mi corazón. Y se ha quedado allí suspendida como un susto que aguardase." (El tema del reconocimiento de sus flaquezas interiores).

(*El hermano asno*, p. 110)

"Y como el aire en los tubos del órgano de nuestra iglesia adaptados en todas sus formas, cantaré siempre la nota justa que te glorifique." (El tema del propósito firme de ajustarse a la simplicidad franciscana).

(*El hermano asno*, p. 35)

"Y me confieso a Vos, Señor, veo la llaga de vuestro costado abierta, como una boca de sed. Yo también tengo una herida sedienta en el costado." (El tema de la angustia espiritual: lo carnal versus lo espiritual).

(*El hermano asno*, p. 121)

"La lujuria del extraño, extraño en todo, hasta en la raza, me salpica el alma igual que baba verde y pestilente." (El tema de los celos — Conflicto del protagonista de *Los hombres del hombre*).

(*Los hombres del hombre*, p. 76)

"Cuando el corazón lo invade todo, cuando se acaba por ser todo corazón, ocurre como cuando todo es fuego en el brasero: hombre y fuego se devoran a sí mismos." (El tema de lo fatal del excesivo sentimentalismo).

(*Los hombres del hombre*, p. 245)

"Cuando el alma descubre, Señor, estas fuerzas de amor en una criatura, se esponja y tiembla, se abre como una copa, recibe el suave corazón y con él quiere vivir ya siempre." (Tema de la pasión amorosa).

(*El hermano asno*, p. 113)

"Y es que de los dolores horribles, de aquellos que se alzaron en un momento único de nuestra vida, no nos acordamos bien, y precisa una nueva avanzada, cuyo golpe destelle un relámpago para que por unos instantes se ilumine la memoria brumosa y la tragedia resurja íntegra, y repentinamente revivida." (Tema del recuerdo del pasado doloroso).

(*El hermano asno*, p. 36)

"Buscar en el recuerdo y en la imaginación una rendija de luz, tan inútilmente como el preso da vueltas en el calabozo y no haya sino el muro gris compacto, impenetrable." (Tema: el pasado).

(*El hermano asno*, p. 36)

"Se alejó el auto negro de cristales puros, soltó por el escape un leve soplo de humo violeta y me ha quedado el alma como envuelta en ese color de crepúsculo." (Tema de la soledad interior — Conflicto del protagonista de *Los hombres del hombre*).

(*Los hombres del hombre*, p. 45)

"Partió ese grito, solo, enloquecido; vagó por el espacio negro, alma escapada que busca sin encontrar, compañía y amparo. Lo ha seguido mi mente con sobresalto. Ascendió en el aire, osciló allá arriba, descendió sin aliento, se cortó jiras entre los alambres, dio tumbos en las azoteas, tropezó en torres y miradores, rodó por los tejados, y al fin me parece que se ha quedado quieto, pegado a los vidrios de una ventana, mirando desesperado al interior de algún cuarto impasible y sin nadie. Lo he visto, porque así está mi alma. Ese grito es ella." (Esta imagen expresionista recoge el tema de la soledad).

(*Los hombres del hombre*, p. 211)

"Aunque atienda solo a lo inmediato y para lo demás cierre los oídos, algo como la queja de un herido emboscado insiste y me retumba dentro." (Tema de la angustia interior).

(*Los hombres del hombre*, p. 235)

"El hombre inalterablemente feliz es como esos frutos carnosos, apretados de miel y violentos de aroma, pero sin almendra." (Tema de lo positivo del dolor interior).

(*Los hombres del hombre*, p. 246)

"Ya entonces, como un viento entra en una casa y la llena de improviso, retornó a mí todo un pasado, una lejanía de mi niñez, y se quedó en mí, latiendo." (El tema de la evocación de la infancia).

(*Los hombres del hombre*, p. 153)

Abundan en todas las novelas de Barrios imágenes que se destacan por ser impresiones de gran belleza que revelan la fina percepción del novelista y que tienen una pura función estética. Veamos algunas:

"En el cielo, muy azul y muy lejano, vagaba la luna, esta blanquísima luna, luna diurna, delgada, transparente e incompleta, como una hostia desgastada."

(*El hermano asno*, p. 52)

"Refulgía la mesa: hilo y cristal."

(*Tamarugal*, p. 70)

"Es un paisaje inmóvil de porcelana, que aún sonaría notas claras si le diéramos con los nudillos."

(*Los hombres del hombre*, p. 39)

"Limpio y semiazul, da al cielo sensación de pupila despierta en la llanura."

(*Gran señor y rajadiablos*, p. 215)

"Una ráfaga viene a estrellarse contra el suelo, rebrinca entre los terrones y, arrastrándose, va y choca en la caseta."

(*El hermano asno*, p. 94)

"Solo es el aire una transparencia azul y un blando bienestar en el silencio."

(*El hermano asno*, p. 122)

"En las galerías la sombra parecía caer de las bóvedas como un manto penitenciario."

(*El hermano asno*, p. 91)

En suma, Barrios emplea un estilo combinado o "estilo combinatorio" como le llama Amado Alonso. Esto coloca a sus obras dentro de la novelística contemporánea, la cual no sigue una sola modalidad estilística, sino que utiliza todos aquellos recursos expresivos de los diversos estilos adecuándolos eficazmente para lograr una mejor realización del contenido en su obra de arte.

En la prosa de Eduardo Barrios se encuentran descripciones cargadas del colorido y el preciosismo modernista; escenas pictóricas logradas por la técnica de transposición de arte utilizado por los parnasianos; enumeración de objetos antiguos y desgastados que tiene un poder sugeridor propio para la creación de una determinada atmósfera tal y como la usaron los simbolistas franceses; metáforas y símiles novedosas atrevidas y denigrantes propias del creacionismo, un tono sentimental que linda con el romanticismo y hasta algunas escenas descarnadas y repugnantes que son muy características del naturalismo.

Barrios es un artista culto, conoce todos estos recursos estilísticos y los utiliza oportuna y atinadamente. A esto hay que añadir su propia concepción de la prosa, de ficción: "comunicar" y "contagiar" como él mismo llama a su labor de creación. Busca la "honradez y simplificación" y rechaza el "literalismo" y la simulación de esa "exquisitez" que no pasa de presunción. Como artista consciente desea la comunicación de la belleza de la misma manera que se comunica la verdad: diáfana, simple y hondamente.

### 6. Evaluación del estilo de Eduardo Barrios por la crítica

La obra de Barrios ha provocado, en nuestra opinión, acertados juicios sobre su estilo.

Arturo Torres Rioseco alude a la sencillez, musicalidad y transparencia del estilo de Barrios refiriéndose particularmente a *El hermano asno:*

> "Este estilo breve, sugerente, de diamantina sencillez, musical sin esfuerzo visible de *El hermano asno*, es el producto de una emoción afinada en largas horas su análisis y expresadas al fin con singular maestría." [25]

Y más adelante señala cómo casi se puede percibir un "aroma" que trasciende de la prosa de Barrios y para insistir sobre la sencillez del estilo hace alusión a unas palabras del novelista:

> "No soy un simple; aspiro a ser un simplificado. Amo la sencillez porque en ella encuentran paz los complejos. Y como en la sencillez cabe la multiplicidad, ella es mi norte, y mi fin en la depuración." [26]

Insistiendo sobre la transparencia de la prosa de Barrios E. Ruiz Vernacci y refiriéndose a los *Hombres del hombre* añade lo siguiente: "Es un escritor digno, noble, con devoción por su oficio —no rebajemos el oficio, la artesanía—, con afición al idioma, que nunca

---

25. Arturo Torres Rioseco, *Atenea*, Ene.-Feb., 1940, Vol. XLIX, p. 244.
26. Eduardo Barrios, *Y la vida sigue*, p. 86.

acabará de descubrirnos sus secretos... No denota esfuerzo. A esta diafanidad no se llega porque sí... no se hace gala de escribir bien, y es ello el mejor mérito, precisamente por lo milagroso de la prosa." [27]

Reconoce dicho crítico que la prosa de Barrios varía en sus novelas. Dice por ejemplo que la prosa de *Los hombres del hombre* no es la misma de *Gran señor y rajadiablos*, ya que los asuntos son distintos y hubiera "resultado en un contrasentido". Termina diciendo Vernacci que cuando se analice a fondo la producción literaria de los primeros cincuenta años de este siglo se descubrirán los valores de la obra de Barrios no solo por su contenido sino también por el hábil empleo de la lengua española para lograr un mensaje de honda belleza a la humanidad.

Otro estudioso de la obra de Barrios, Donald F. Fogelquist señala lo siguiente al comentar las últimas tres novelas de Eduardo Barrios:

> "Pocos escritores hispanoamericanos manejan la prosa como él. Combina la sencillez con una gran sensibilidad poética. Las metáforas son aptas, naturales, hermosas. Barrios nunca se esfuerza por seguir la originalidad estrambótica; nunca sacrifica lo natural a lo extravagante. Con algunas pinceladas finas traza imágenes de sutil belleza. Todos sus libros están imbuidos de un lirismo íntimo." [28]

Fogelquist compara la prosa de Barrios con la de Güiraldes por "el don maravilloso de embellecer la realidad con la magia de la poesía".

Milton Rossel admira la habilidad de Barrios para crear la atmósfera de sus novelas, sobre todo en aquellas en que se debate un conflicto interior. Refiriéndose a *El hermano asno* dice:

> "¡Cómo nos sentimos inundados de la paz franciscana que no alcanzó a Fray Lázaro y que nimbó de santidad a Fray Rufino!"

> "El estilo de Barrios adquiere en este libro la sencillez, gracia y transparencia que conviene a las almas y al ambiente. Se ha valido de frases breves y de palabras cotidianas, para darle a su prosa un tono de menor confidencia y de serenidad propia de un claustro, convirtiendo el drama silencioso de Fray Lázaro en un discreto susurro de confesión." [29]

Advierte Rossel que en los cuentos, Barrios sabe utilizar el humorismo amargo que surge del contraste violento entre lo doloroso del conflicto y lo grotesco de la realidad.

---

27. Enrique Ruiz Vernacci, *Una gran novela americana — Los hombres del hombre*, Rep. Am., mayo, 15, 1951, p. 83.
28. Donald F. Fogelquist, *Eduardo Barrios en su etapa actual*, Rev. Ib. Am., febrero, 1952 - septiembre, 1953, Vol. XVIII, p. 20.
29. Milton Rossel, *Un novelista psicológico — Eduardo Barrios*, Atenea, enero-marzo, 1940, Vol. XLIX, p. 415.

Añade Rossel que en los libros de Barrios hay una consonancia perfecta entre el contenido vital y su expresión artística; su estilo es de una limpieza impecable, sus frases tienen acaso una cadencia excesivamente blanda y suave que le da a la prosa un tono dulzón. Pero su ideal de musicalidad y transparencia ha ido purificándose en obras posteriores hasta lograr la expresión perfecta.[30]

Gabriela Mistral al igual que D. F. Fogelquist señala el decoro, el sentido estético y la fina sensibilidad ante la naturaleza y las veleidades del espíritu humano que nunca le permiten caer en el prosaísmo y la ordinariez de la vulgaridad chocante y de mal gusto.[31]

Carlos D. Hamilton también sitúa a Barrios al lado de Güiraldes:

> "Güiraldes y Barrios son los dos más altos valores poéticos de la novela de nuestra raza." [32]

Y más adelante:

> "La técnica y el estilo de Barrios lo sitúan con Güiraldes a la cabeza de los novelistas americanos..." [33]

> "Así definida su novelística (Música y transparencia) no es realismo: es *ficción*. Es superrealista que no entrega el retrato, sino la emoción. Pero, como los modernistas y al revés de los románticos, en una perfección de estilo que es *transparencia musical*." [34]

En resumen; el estudio de las obras de este autor nos ha convencido de que Eduardo Barrios es un narrador diestro que sabe manejar los recursos de la narración, logra una forma expresiva, un estilo propio para comunicar y crear el mundo de sus novelas, es un artista consciente de su oficio y anhela la depuración y que por encima de las fallas en que pueda incurrir, tiene muy merecido el lugar que la crítica y los lectores le han señalado en la novela hispanoamericana.

---

30. *Ibid.*, p. 428.
31. Gabriela Mistral, *Prólogo* a *La vida sigue* de Eduardo Barrios.
32. Carlos D. Hamilton, *Prólogo* a *El hermano asno*, p. 16.
33. *Ibid.*, p. 17.
34. *Ibid.*, p. 15.

## CONCLUSIONES

La obra de Eduardo Barrios está pensada y sentida desde el doble plano del hombre y del artista. Del primero nace la amorosa búsqueda del "otro hombre", alma en soledad interior; emana el aliento humano con que se animan los seres de la ficción y finalmente, es el mirador certero desde donde penetra, por introspección propia, la intrincada zona del espíritu. El hombre que concibe Barrios no tiene una ubicación espacial o temporal determinada. No es chileno ni americano y sus conflictos son de siempre y de todas partes porque la plasmación de su personalidad sigue una trayectoria universal.

En el segundo plano —el artista— se moldean, destacan y relacionan en armonía estética todos los materiales que han de cristalizar en la obra de arte. El artista sutiliza las impresiones, afina las palabras para que alcancen el más alto grado de expresividad intimista, crea las imágenes que plasman la realidad poéticamente y estructura el conjunto en una armonía perfecta en donde el hombre y el artista se funden en uno solo —el creador.

El estilo de Barrios comunica la intimidad de los seres que viven en su ficción y al develar su misterio, la delicadeza de sus sentimientos y el latido hondamente humano, en un lenguaje que da transparencia y limpidez a la emoción sentida, la obra queda situada en una zona de gran belleza y de poesía. De ahí que la concepción del mundo y de los seres de Eduardo Barrios se estructure con elementos tan altamente subjetivos y líricos. Esto es lo que lleva a críticos y estudiosos de nuestras letras como Federico de Onís y Anderson Imbert a negar el carácter sicológico de las obras de Barrios.

Barrios no intenta hacer de sus novelas estudios sicológicos siguiendo las corrientes de moda que aplica un principio freudiano a cada hecho de la conducta del hombre. Sin embargo, sus principales temas, sus asuntos y personajes plantean una vida interior y son, por lo tanto, reveladores de estados puramente sicológicos. Como Eduardo Barrios no es un escritor realista; sus obras sólo entregan la emoción de las cosas. Intuye y fabrica el mundo interior de sus personajes tomando como punto de partida su impresión personal frente a la realidad. Esto conduce también a creer que Barrios se reproduce a sí mismo en sus personajes. No obstante, sus conflictos son de índole tan universal que no permiten ver en sus obras sólo experiencias puramente personales.

Lo que hay de personal en el escritor es afinado, y tamizado a través del espíritu del artista hasta convertirlo en "cristales de sicologías".[1] Barrios maneja un sicologismo artístico que lo separa de la novela sicológica realista y sus métodos seudocientíficos. Los personajes cobran la realidad del arte, realidad que fabrica la fantasía y la intuición del escritor y logran convencer por los lineamientos humanos con que han sido creados.

Barrios a veces, no solo estiliza la sicología de sus personajes, sino que también la exagera y la sutiliza y sin llegar a deshumanizarla la separa del plano de la vida común y convencional y las coloca en un marco de sensibilidad y espiritualidad más elevada. La riqueza poética de sus mejores obras consiste en la fuerza lírica que la emoción y el sentimiento del novelista imprime en la sicología de sus personajes.

El valor estético de las novelas de Barrios consiste no solamente en la expresión altamente poética y en lo emotivo de sus asuntos, sino también en la perfección arquitectónica que aspira el novelista y que alcanza plenamente en sus dos mejores libros: *El hermano asno* y *Los hombres del hombre*. Mediante el hábil manejo de los recursos técnicos el novelista descubre y trabaja todas las posibilidades artísticas de su asunto y consigue una armoniosa estructuración de todos los elementos de la novela para la realización de su tema y sentido.

1. *Fuentes de la obra de Barrios.* Es difícil trazar las fuentes que han nutrido la obra del novelista. Barrios ha señalado el hecho de que se le han atribuido varios "padres espirituales" a quienes jamás ha leído. "Leo a todos", confiesa en páginas autobiográficas, "siguiendo la norma de Balzac, para no parecerme a nadie. Y lo que más amo en mí es cabalmente mi inagotable inquietud."[2]

Sin duda alguna conoce la literatura española, de la que encontramos clara huella, sobre todo de la mística y de la novela de fines del siglo XIX: Galdós, Valera y Valle Inclán. Otros novelistas europeos como Stendhal, Dostoiewsky, Tomás Mann, Zola, Balzac y Flaubert tienen que haber sido parte de sus lecturas, pero es tarea inútil deslindar lo que de cada uno de ellos ha asimilado Barrios y ha aflorado en su obra. En toda obra de arte quedan incorporados en una aleación perfecta y final todos los elementos formativos del momento —época, ambiente, atmósfera, ideas y arte— y la vivencia personal que el escritor se ha procurado inmerso como está dentro de esos mismos elementos.

---

1. Término empleado por el mismo Barrios, *Y la vida sigue*, p. 84.
2. *Ibid.*, p. 91.

2. *Valoración.* La novela hispanoamericana que ha empezado a cobrar relieve y personalidad propia desde los años de 1908 (*La Gloria de Don Ramiro* —Enrique Rodríguez Larreta) y 1920 (*Alsino* —Pedro Prado) recibe de Eduardo Barrios un nuevo impulso vitalizador. Si Prado contribuye con el empleo del simbolismo y de lo fantástico y Larreta con una nueva concepción de la novela histórica, Barrios aporta el uso de la introspección sicológica como medio para hacer novela, recurso este que no se había usado anteriormente en Hispanoamérica. Con *El niño que enloqueció de amor* (1915) inicia Barrios esa nueva trayectoria en el rumbo de la novela de la América Hispana: la penetración en la dolorosa intimidad del ser humano. Esta novela intimista, de vida interior, que proyecta la realidad sicológica del hombre, narrada en un estilo altamente poético y con un tono enteramente emotivo, ha de tener posteriormente excelentes cultivadores tales como Eduardo Mallea, Jaime Torres Bodet, María Luisa Bombal y Nora Lange.

El desarrollo de su producción novelística sigue una trayectoria perfecta. Desde su primera novela corta en que intenta la bondadosa comprensión de la transida problemática de un niño de precocidad sentimental culmina en un conflicto mucho más trascendental como el de la salvación del alma y finalmente cierra con el análisis de un estado patológico mental producido por la duda. En las tres siempre ha de importar principalmente la recreación artística de los estados sicológicos y como Barrios es esencialmente un artista, el sentido de la novela estará controlado por un propósito estético y no moral.

La comprensión del corazón humano, la incursión dedicada a la conciencia del individuo y el tratamiento artístico que reciben esos asuntos en la novela de Barrios las cualifican como verdaderas novelas contemporáneas.

Junto a Prado y Arévalo Martínez, Barrios es el iniciador de la novelística postmodernista. La hondura del contenido, la penetración sicológica en la caracterización de los personajes y la fuerza del mensaje que envuelve el tema de las obras junto al manejo artístico de la prosa señalan el nuevo rumbo que toma la novelística hispanoamericana a mediados de la segunda década del presente siglo. Antes de aparecer entre los años 1926 al 1929 la ilustre trilogía de novelas —*Don Segundo Sombras, La Vorágine* y *Doña Bárbara*— que hicieron que la crítica europea "descubriera" y reconociera la novela hispanoamericana, ya Enrique Rodríguez Larreta, Pedro Prado, Alcides Arguedas, Mariano Azuela y Eduardo Barrios habían dirigido la creación novelística por los nuevos derroteros de las letras contemporáneas.

El tema del niño que ha ocupado un lugar relevante en las tierras chilenas, tanto en la poesía como en la prosa, desde Gabriela Mistral hasta Marcela Paz, tiene en Barrios no solo el iniciador sino el cultivador más amoroso y delicado.

El examen cuidadoso de la forma en su obra revela que Barrios es un excelente narrador. Maneja con seguridad y habilidad los múltiples recursos de la narración y domina el arte de la caracterización de la novela contemporánea.

El estilo de Barrios cobra sus particulares caracteres y su inconfundible relieve en la medida que sirve para comunicar con límpida claridad y con una aroma de alta poesía los estados emotivos más sutiles y delicados. En su prosa se da lo que llama Schorer "un contenido realizado" mediante la debida habilitación del estilo.

Como conclusión final destacaremos el hecho de que si Güiraldes, Rómulo Gallegos, José Eustasio Rivera, son los iniciadores de la novela del hombre y de la tierra hispanoamericana, Eduardo Barrios recoge en sus obras temas, cuya trascendencia sobrepasa los límites de la vida chilena y con una proyección más abarcadora del hombre —sin tiempo ni geografía— le imprime a sus obras un sello de universalidad.

## BIBLIOGRAFIA

I. Obras de Eduardo Barrios

   A. *Novelas*

1. *Del Natural.* Iquique, 1907, s.p.
2. *El niño que enloqueció de amor. ¡Pobre feo! Papá y mamá.* Buenos Aires, Losada, 1948, 127 p.
3. *Un perdido.* Santiago de Chile. Zig-Zag, 1958, 414 p.
4. *El hermano asno,* New York, Las Américas Publishing Company, 1958, 143 p.
5. *Tamarugal. (Una lejana historia entre dos cuentos que le pertenecen).* Santiago de Chile, Nascimento, 1944, 230 p.
6. *Gran señor y rajadiablos.* Buenos Aires, Espasa-Calpe, 1952, 348 p.
7. *Los hombres del hombre.* Santiago de Chile, Nascimento, 1950, 317 p.

   B. *Cuentos*

1. *Páginas de un pobre diablo.* Santiago de Chile, Nascimento, 1923, 228 p.
2. *Y la vida sigue.* Buenos Aires, Tor, 1925, 91 p.

   C. *Teatro*

1. *Teatro escogido.* Santiago de Chile, Zig-Zag, 1947, 233 p.

   D. *Artículos*

1. *A manera de autosilueta.* Repertorio Americano, San José, Costa Rica, agosto de 1924, VIII, ps. 360-368.
2. *Figuras de América: Juan Torrendel.* Repertorio Americano, San José, Costa Rica, febrero de 1923, V, ps. 281-282.
3. *La saturación literaria.* Atenea, Concepción, Chile, abril de 1924. Número 1, ps. 48-52.
4. *La saturación literaria y la fecundidad.* Repertorio Americano, San José, Costa Rica, agosto de 1924, VIII, ps. 357-359.

II. Estudios críticos sobre Eduardo Barrios

1. Alone (Díaz Arrieta, Hernán), *Eduardo Barrios*, en *Panorama de la literatura chilena durante el siglo XX*, Santiago de Chile, Nascimento, 1931, ps. 79-80.
2. Amúnategui Solar, Domingo, *Letras chilenas*, Santiago de Chile, Nascimento, 1934, ps. 313-317.
3. *La tercera edición del hermano asno de Eduardo Barrios* (carta de la casa editora). Repertorio Americano, San José, Costa Rica, 21 de agosto del 1937, p. 105.
4. *Los hombres del hombre*, de Eduardo Barrios, Santiago de Chile, 1950, 317 ps., ilustrado (notas del mes). Atenea, Concepción, Chile, ps. 425-426.
5. Castro Martínez, Alfonso, *Con Eduardo Barrios*. Tiempo, Bogotá, Colombia, 12 de octubre de 1941, ps. 123-124.
6. Concha, Edmundo, *Gran señor y rajadiablos*, Atenea, Concepción, Chile, 1948, XCI, ps. 169-172.
7. Cotto Turner, Guillermo, *Eduardo Barrios: novelista del sentimiento*, Hispania, California, agosto de 1951, ps. 271-272.
8. Davidson, Ned, *The Dramatic Works of Eduardo Barrios*, Hispania, California, marzo, 1958, XVI, p. 60.
9. Delfino, Augusto Mario, *Eduardo Barrios en Chile*, Continente, Buenos Aires, abril de 1952, p. 15.
10. Dinamarca S., *Tamarugal: Una lejana historia entre dos cuentos que le pertenecen*. Revista Iberoamericana, México, 1945, X, ps. 172-176.
11. Diógenes, *Tamarugal*, Atenea, Concepción, Chile, 1944, LXXVI, ps. 100-102.
12. Donoso, Armando, *Eduardo Barrios y la novela*, en *La otra América*, Madrid, Colección Contemporánea-Calpe, 1925, páginas 155-180.
13. Dotor Municio, A., *Un gran novelista americano*. El Consultor Bibliográfico, Barcelona, 1927, IV, ps. 364-368.
14. Drago, Gonzalo, *Los hombres del hombre de Eduardo Barrios*, Atenea, Concepción, Chile, enero-junio del 1951, C, páginas 196-198.
15. Flores, Angel, *Eduardo Barrios*. En *Historia y antología del cuento y la novela hispanoamericana*, Nueva York, Las Américas Publishing Company, 1959, ps. 320-322.
16. Fogelquist, Donald, *Eduardo Barrios en su etapa actual*, Revista Iberoamericana, México, 1952, XVIII, ps. 13-26.
17. García Oldini, E., *Doce escritores*, Santiago de Chile, Nascimento, 1929, ps. 15-21.
18. García Gómez, Julia, *Como los he visto yo*, Santiago de Chile, Nascimento, 1930, ps. 115-129.
19. Hamilton, Carlos D., *La novelística de Eduardo Barrios*. Cuadernos Americanos, México, 1956, XV, ps. 280-292.
20. Hilton, Roñald, *Who is who in Latin America*, Londres, Stanford University Press. Part IV — Chile, 1947, ps. 314.

21. Lozano, Carlos, *Paralelismo entre Flaubert y Eduardo Barrios*, Revista Iberoamericana, México, enero, 1959, p. 105.
22. Luisi, Luisa, *A través de libros y de autores*, Buenos Aires, Nuestra América, 1925, ps. 195-216.
23. Merino Reyes, Luis, *Tamarugal*, Atenea, Concepción, Chile, 1944, ps. 227-229.
24. Mistral, Gabriela, *Eduardo Barrios*, Repertorio Americano, San José, Costa Rica, agosto de 1924, VIII, p. 359.
25. Monguió, Luis, *Sobre un milagro en Meléndez, Palma y Barrios*, Revista Hispánica Moderna, Nueva York, 1956, XXII, páginas 1-11.
26. Ospe, Mario, *Los hombres del hombre*, Atenea, Concepción, Chile, 1950, XCIX, ps. 103-106.
27. Reyes, Salvador, *Apuntes sobre la novela y el cuento chileno*. Cuadernos hispanoamericanos, Madrid, julio-agosto de 1951, páginas 67-74.
28. Rossel, Milton, *El niño que enloqueció de amor por Eduardo Barrios*, Atenea, Concepción, Chile, diciembre de 1939, XLVIII, ps. 427-429.
29. ———, *Un novelista psicológico: Eduardo Barrios*, Atenea, Concepción, Chile, 1940, XLIX, ps. 5-16.
30. Ruiz Vernacci, Enrique, *Una gran novela americana: Los hombres del hombre*, Repertorio Americano, San José, Costa Rica, 15 de mayo del 1951, p. 81.
31. Silva Castro, Raúl, *Eduardo Barrios*. En *Los cuentistas chilenos*, Santiago de Chile, Zig-Zag, s.a., ps. 42-44.
32. Suárez Calimano, Emilio, *21 ensayos*, Buenos Aires, Ed. Nosotros, 1926, ps. 35-45.
33. Torres Rioseco, Arturo, *Eduardo Barrios*. En *Novelistas contemporáneos de América*, Santiago de Chile, Nascimento, 1939, ps. 211-249.
34. ———, *Eduardo Barrios*. En *Breve historia de la literatura chilena*, México, Manuales Studium-1, 1956, ps. 78-80.
35. ———, *Eduardo Barrios*. En *Grandes novelistas de la América Hispana*, University of California Press, 1943, ps. 25-58.
36. ———, *Eduardo Barrios, novelista chileno*, Hispania, California, 1925, VIII, ps. 43-44.
37. ———, *Eduardo Barrios*, Atenea, Concepción, Chile, febrero de 1940, XLIX, ps. 211-245.
38. Uriarte, Fernando, *Gran señor*, Atenea, Concepción, Chile, enero-febrero del 1949, ps. 138-141.
39. Vázquez Bigi, Angel, *El tipo sicológico en Eduardo Barrios y correspondencias en las letras europeas*, Revista Iberoamericana, México, julio de 1959, XXXIV, número 48, p. 265.
40. Vaise, Emilio, *Eduardo Barrios*. En *Estudios críticos de la literatura chilena*, Santiago de Chile, Nascimento, 1940, tomo I, páginas 49-63.
41. Zárate Moreno, J., *Una novela americana: Gran señor y rajadiablos*, El Tiempo, Bogotá, Colombia, 12 de diciembre de 1948, p. 6.

III. Bibliografía general

1. Colón, Cristóbal, *Los cuatro viajes del almirante y su testamento*, edición y prólogo de Ignacio Anzoategui, Buenos Aires, Espasa-Calpe, 1946, 228 ps.
2. Eyzaguirre, Jaime, *Fisonomía histórica de Chile*, México, Fondo de Cultura Económica, 1948, 198 ps.
3. Gasset Ortega, José, *Ideas sobre la novela*. En *Meditaciones del Quijote*, Buenos Aires, Espasa-Calpe, 1942, ps. 220-273.
4. Gómez de la Serna, Ramón, *Ismos*, Buenos Aires, Posesión, 1943, 448 ps.
5. Henríquez Ureña, Pedro, *Las corrientes literarias en la América Hispánica*, México, Fondo de Cultura Económica, 1949, 340 ps.
6. Imbert, Anderson, *Breve historia de la literatura hispanoamericana*, México, Fondo de Cultura Económica, 1954, 430 ps.
7. Lemaitre, George Edouard, *From Cubism to Surrealism in French literature*, Cambridge, Massachusets, 1941, 247 ps.
8. Lubbock, Percy, *The Craft of Fiction*, Nueva York, Peter Smith, 1947, 247 ps.
9. Mallea, Eduardo, *Notas de un novelista*, Buenos Aires, Emecé, 1954, 141 ps.
10. Meléndez, Concha, *Ficciones de Alfonso Reyes*. En *Figuraciones de Puerto Rico y otros estudios*, San Juan de Puerto Rico, Instituto de Cultura Puertorriqueña, 1958, ps. 193-221.
11. ———, *Signos de Iberoamérica*, México, Imp. Manuel León Sánchez, S.C.L., 1936, 187 ps.
12. Reyes, Alfonso, *Cárcel de Amor: una novela perfecta*. En *Cuestiones estéticas*, París, Librería Paul Ollendors, 1910, ps. 67-89.
13. Salazar Martínez, Francisco, *Problemas de la novelística venezolana*, Nueva York, Revista Norte, marzo de 1949, IX, núm. 6, p. 40.
14. Saz, Agustín del, *La novela hispanoamericana*, Barcelona, 1953, 238 ps.
15. Schorer, Mark, *Criticism: The Foundations of Modern Literary Judgement*, Nueva York, Harcourt, Brace and Company Incorporated, 1948, 553 ps.
16. ———, *Fiction and the Matrix of Analogy*, The Kenyon Revue, Autunm, 1949, XI, núm. 4, ps. 539-561.
17. ———, *The Story: A Critical Anthology*, Nueva York, Prentice Hall, 1950, 606 ps.
18. Téllez, Hernando, *Fronteras de la novela*, Cuadernos, París, 1954, núm. 4, ps. 31-34.
19. Torres Rioseco, Arturo, *La gran literatura iberoamericana*, Buenos Aires, Emecé, 1945, 213 ps.
20. Torre, Guillermo de, *Literaturas europeas de vanguardia*, Madrid, R. Caro Raggio, 1925, 390 ps.

21. Unamuno, Miguel, *Tres novelas ejemplares y un prólogo*, Madrid, Espasa-Calpe, 1931, 213 ps.
22. West Jr. Ray B. and Robert Wooster Stallmanm, *The Art of Modern Fiction*, Nueva York, Richart and Company Incorporated, 1949, 652 ps.

Este libro se terminó de imprimir
el día 7 de julio de 1977, en los
Talleres Gráficos de Manuel Pareja
Montaña, 16 - Barcelona - España